In verband met de kinderen

Van Machteld Bouma verscheen eveneens bij Artemis & co

Pur
Losers
Het lopend buffet
Het hondje dat uit de mode raakte

Wilt u op de hoogte worden gehouden van de boeken
van uitgeverij Artemis & co? Meldt u zich dan aan voor de
nieuwsbrief via onze website www.uitgeverijartemis.nl

Machteld Bouma

In verband met de kinderen

Artemis & co

ISBN 978 90 472 0441 1
© 2014 Machteld Bouma
Omslagontwerp Janine Jansen
Omslagillustratie © Gallery Stock (vissengraat), © Caitlin Worthington (meisje)
Foto auteur © Marieke Meijer

Verspreiding voor België:
Veen Bosch & Keuning uitgevers n.v., Antwerpen

Voor Pim en Roos,
die me niet buitensloten.

I

Tamagotchi

1

'Pap?'

'Mm-mm?'

'Mogen wij een tamagotchi?'

Wendolyn keek gealarmeerd op. Wat wilden die kinderen? Een tamagotchi? Wat was dat?

'Ja, die zijn lief!'

Als ze maar niet dachten dat zij knaagdierkooien ging schoonmaken, hagedissen verzorgen of vissen voeren! Ze opende haar mond, maar Eric legde een hand op haar arm – een al vertrouwde, warme hand, zacht van het beroepsmatig vele handenwassen.

'Ik heb erover gelezen,' zei hij. 'Dit is een huisdier dat niet zoveel zorg nodig heeft. Toch?' Hij keek glimlachend naar het drietal rond de tafel.

'Nou,' zei Jasper tegen de resten van zijn kindermenu. 'Ze moeten eten. En spelen...'

'En ze poepen ook!' riep Lisa. 'En ze kunnen ziek –'

'Dan moet je ze verzor–'

'Ja, anders gaan ze doo–'

O nee, dacht Wendolyn. Geen kanariepietjes, geen slangen, geen muizen, geen wandelende takken.

'Ik noem de mijne Fikkie,' mijmerde Daniëlle terwijl ze zich over het bord van Wendolyn boog, waarop de graten lagen van

9

een forel. 'Of Sofie.' Nieuwsgierig stak de vijfjarige haar mes in de openstaande bek van de vissenkop: de punt gleed door de rechteroogkas naar buiten, waarop Daniëlle opgetogen lachte.

'Gatverdamme!' Haar broer en zus schoven tegelijkertijd hun stoelen naar achter. De houten poten schraapten hard over de rustieke, enigszins ongelijke vloertegels van het restaurant, en mensen keken op.

'Sst, niet zo hard,' zei Wendolyn, alsof de kinderen zich daar iets van zouden aantrekken. 'Daniëlle, hou daar eens mee op.' Ze keek naar Eric. Jóúw kinderen, zei haar blik.

'Gaan jullie maar even buiten spelen,' zei Eric.

'Het is al hartstikke donker buiten, pap,' zei Jasper. 'En het vriest.'

Eric wenkte de ober en vroeg om de rekening. Wendolyn keek naar de koffie die op het tafeltje naast hen werd neergezet. Zij had ook nog wel koffie gewild, maar kennelijk hadden de kinderen lang genoeg stilgezeten. Het etentje in dit restaurant was bedoeld om het ijs te breken tussen Wendolyn en de drie die haar stiefkinderen zouden gaan worden, maar ze had niet het idee dat dat helemaal was gelukt: de twee oudsten spraken haar nog steeds niet rechtstreeks aan. Het was allemaal veel moeilijker dan ze ooit had kunnen bedenken. Hooguit kon je zeggen dat deze tweede ontmoeting ietsje beter was verlopen dan de allereerste; Wendolyn was dit keer tenminste niet helemaal buitengesloten.

Ze keek toe hoe Eric de rekening betaalde. Ze hield ervan naar hem te kijken; ze hield van de twinkeling in zijn grijze ogen, van zijn mond, van zijn lange, slanke gestalte en zijn mooie handen. Ze hield meer van Eric dan ze voor mogelijk had gehouden, maar... hij was een vader. Daar was niets meer aan te doen.

'Mag ik dit meenemen?' vroeg Daniëlle, en ze hield hoopvol het mes met de erop gespietste vissenkop omhoog.

'Nee, natuurlijk niet,' zei Eric haastig. 'Leg neer. Bah, dat is vies.'

10

Dat heb ik anders net zitten eten, dacht Wendolyn. Alleen heette het toen nog niet 'bah' en niet 'vies', maar *truite au bleu*. Ze glimlachte naar Daniëlle.

'Volgende keer neem ik mosselen. Of oesters. Dan mag jij de schelpen hebben, goed?'

Daniëlle keek haar aan met iets wat op bewondering leek.

'Jij durft alles te eten, hè?' zei ze, terwijl de ober de tafel begon te ontdoen van glazen vol vette vegen, lege broodmandjes en halflege borden. Etensresten, kruimels, vlekken en kringen bleven op het tafelkleed achter.

'Trekken jullie je jassen maar vast aan,' zei Eric. 'We gaan. Mama komt jullie zo halen.'

De kinderen holden weg; ze wisten dat er bij de uitgang van het restaurant een pot lolly's stond. Wendolyn dronk het laatste slokje van haar wijn.

'Het is niet normaal,' zei Eric zorgelijk. 'Daniëlle is gepreoccupeerd met de dood.'

'Ach, welnee,' lachte ze en ze zette haar lege glas neer. 'Het is gewoon een nieuwsgierig kind.' Ze haalde het servet van haar schoot en legde het op tafel.

Het was niet waar wat ze zei. Hoe normaal was het dat een vijfjarige in haar slaapkamertje skeletjes en kleine, kale schedeltjes uitstalde in plaats van poppen en knuffels? Dat ze van het strand bij voorkeur de bleke restanten van vogels, vissen en krabben meenam in plaats van roze, glanzende schelpjes? Dat ze van een vriendinnetje een schildpadschild had afgetroggeld, waaruit de schildpad allang was verdwenen? Naar verluidt had Daniëlle op vakantie in Zwitserland zelfs urenlang dromerig voor de etalage van de plaatselijke taxidermist gestaan, en toen was ze nog maar vier! Het meisje was meer geïnteresseerd in de overblijfselen van hamsters dan in hamsters, meer in konijnenbotjes dan in konijnen. De zorgen van Eric waren terecht. Het was niet normaal. Maar Wendolyn ging er niet over; daar had Daniëlle ouders voor.

Toen ze na de verhalen van Eric een tijdje geleden eens voorzichtig had geopperd dat er misschien eens iemand met Daniëlle over haar macabere hobby zou moeten praten, een psycholoog of zo, toen had Erics ex Olga hem woedend opgebeld. Waar of dat dat mens zich mee bemoeide?

'Heb je tegen Olga gezegd dat ik vind dat Daniëlle naar een psycholoog moet?' had Wendolyn geschrokken gevraagd.

'Ja, natuurlijk,' antwoordde Eric. 'Olga weet dat jij psycholoog bént.'

'Arbeids- en organisatiepsycholoog, ja,' zei Wendolyn. 'Ik weet niks van ontwikkelingspsychologie, niks van pedagogiek, niks van opvoeden. Ik coach volwassenen, geen kinderen.'

Ze wilde zich er niet mee bemoeien, maar bemoeien was natuurlijk onvermijdelijk als je je in de leefwereld van kinderen begaf. Je bemoeide je ermee als ze de televisie zo hard zetten dat niemand in de kamer elkaar nog kon verstaan; je bemoeide je ermee als je vond dat ze niet met volle mond mochten praten of als je ze op tijd naar bed stuurde.

Toen Eric en Wendolyn naar de hal van het restaurant liepen, stond Jasper daar in de pot met lolly's te graaien, terwijl Lisa haar vieze mond afveegde aan een jas die aan de kapstok hing.

'Kom op, naar de auto,' zei Eric en hij trok Lisa snel bij de jas weg. 'Waar is Daniëlle?'

'Maar ik zoek zo'n bruine, die naar Coca-Cola smaakt,' zei Jasper onwillig, en hij bekeek de handvol lolly's die hij naar boven had gehaald.

'Daniëlle is al naar buiten,' zei Lisa.

Ze vonden de jongste terug in het speeltuintje naast het restaurant, waar ze onder een kleine glijbaan met het stokje van haar lolly in iets zat te peuteren. Het was pikkedonker en er hing een ijzige kilte in de lucht.

'O, kom op, Daniëlle,' riep Eric. 'Dat is vies en je wordt veel te koud.'

12

Wendolyn wachtte niet tot de kinderen kwamen, maar liep vast door naar de parkeerplaats, ging in de auto zitten, trok het portier achter zich dicht en liet haar hoofd tegen de hoofdsteun rusten. Ze was moe, en morgen stond ze weer voor een zaal, moest ze gewoon weer aan het werk. Er waren twee bedrijven die zouden fuseren en die hadden haar ingehuurd voor de begeleiding van dat proces: het personeel moest met elkaar kennismaken om 'samen te bouwen aan een nieuw en toekomstgericht klimaat', met als werkelijk doel de verbinding en de solidariteit die de werknemers voelden met hun oude werkgever om te zetten in een gevoel van verbinding en solidariteit met hun nieuwe werkgever. Wendolyn had daar *tools* voor, van een presentatie tot speeddating. Het was een proces dat ze kende, dat ze vaker had gedaan en waar ze goed in was. Ze zou een mantelpakje dragen en op pumps lopen met een microfoon in haar hand: het uniform van haar andere leven. Haar echte leven, het leven waarin ze wist hoe het moest. Drie kinderen fuseren met een stiefmoeder bleek ingewikkelder.

De achterportieren van de auto werden opengerukt en de kinderen begonnen hun gevecht om wie waar op de achterbank mocht zitten. Tot ergernis van Eric liet Jasper de lolly's die hij had meegenomen op de vloerbekleding vallen, begon Lisa weer over tamagotchi's en hield Daniëlle iets ondefinieerbaars in haar hand waarover niemand wilde nadenken wat het was of was geweest.

'Gordels om,' zei Wendolyn.

Want je bemoeide je er natuurlijk toch mee.

Een paar dagen later belde Wendolyn tussen twee coachingcliënten door naar Klara, een vriendin met opvoedervaring.

'Ik zou me maar geen zorgen maken,' zei Klara luchtig. Op de achtergrond hoorde Wendolyn minstens drie kinderen op hoge toon ruzie met elkaar maken. 'Die van mij slepen ook van alles mee naar huis, en daar zitten weleens ergere dingen bij dan een paar botjes. Welbeschouwd zijn muizenschedeltjes eigenlijk heel onschuldig, vind je niet?'

Voordat Wendolyn kon vragen wat voor dingen de kinderen van Klara dan wel verzamelden, klonk er een akelig harde knal en daarna een hoge brul.

'O, ik moet even ingrijpen, geloof ik,' zei Klara zonder blijk te geven van enige haast. 'Maar maak je niet ongerust, Wendolyn. Zo abnormaal is het niet. Misschien heeft dat meisje gewoon interesse in de natuur. Wie weet wordt ze later bioloog. Spreek je!' Ze hing op om haar kinderen te gaan redden.

Tja. Bioloog. Of patholoog-anatoom. Wendolyn staarde even naar de stille telefoon. Ze had Klara nog willen vragen of die wist wat tamagotchi's voor beesten waren.

Eric en Wendolyn hadden elkaar in het voorjaar leren kennen op een galafeest dat bedoeld was om fondsen te werven voor de nieuwbouw van het ziekenhuis in de stad – het ziekenhuis waar Eric specialist was. Wendolyn voelde zich op het feest als een vis in het water, want ze was er op uitnodiging van een relatie en haar halve netwerk liep er rond, maar zo te zien voelde Eric zich als een vis op het droge. Hij stond ongemakkelijk naast Wendolyn toen de burgemeester een te lange toespraak hield op een te groot podium. Ze keek even opzij en het eerste wat ze dacht was: wat een saaie man. Eric droeg een donkergrijs pak met een lichtgrijze stropdas, en hij was ook nog eens tegen een grijsbetonnen wand gaan staan, alsof hij ermee wilde samensmelten en verdwijnen. Ze zag toen echter ook al zijn ogen: eveneens grijs, maar met een lach erin verstopt die haar nieuwsgierig maakte.

Eric had ook opzijgekeken en hij dacht: wat een mooie vrouw. Toen hij haar dat later vertelde, zei ze: 'Jij verwarde schoonheid met intelligentie.'

'Jij saaiheid met betrouwbaarheid,' zei hij gevat.

14

Nadat de burgemeester was uitgesproken had Wendolyn op het feest langs haar neus weg naar de grijze man voor de grijze muur geïnformeerd.

'Dat is Eric Binden,' zei een kennis. 'Hij is neuroloog.'

'Ah,' zei Wendolyn, en ze bekeek deze Eric nog eens.

Waar de grijze man het lef vandaan haalde om haar die avond uit te nodigen om samen een keer iets te gaan eten begreep hij achteraf zelf niet, maar ze antwoordde: 'Ja.' Na enig nadenken voegde ze eraan toe: 'Maar als ik me na het voorgerecht verveel, dan ga ik weg.' Hij lachte blij verbaasd. Hij had een beetje een George Clooney-lachje.

Toen ze zag waar hij haar een week later mee naartoe nam, was het haar beurt om in de lach te schieten: het was een tapasrestaurant, waar voor- en hoofdgerecht niet van elkaar te onderscheiden waren.

'Nu heb ik alle tijd,' zei hij plagerig.

Bij dat eerste etentje viel Wendolyn voor Erics ouderwetse hoffelijkheid: hij hield de deur voor haar open, nam haar jas aan, schoof haar stoel bij. Daarna was het de manier waarop hij naar haar luisterde, oprecht geïnteresseerd in alles wat ze vertelde, met aandacht in zijn grijze ogen en met zinnige vragen. Ze bleken interesses te delen en lachten om elkaars grapjes.

Voorzichtig sloegen ze die avond de boeken van elkaars leven open. Ze verschilden meer in leeftijd dan ze had gedacht: zijn boek besloeg tweeënvijftig jaar – hij zag er jonger uit. Wendolyn was net achtendertig geworden. Veertien jaar verschil, rekende ze snel uit, en daarna dacht ze: ach, wat doet dat ertoe?

Na veilige informatie over hun werk spraken ze over waar ze vandaan kwamen. Ze bleken beiden enig kind. Hij had zijn hele jeugd doorgebracht in het dorp waar zijn vader werkte als gemeenteambtenaar; zij was vroeger een paar keer verhuisd omdat haar vader een burgemeester met ambities was. Zijn moeder was

15

vooral volgzaam geweest; de hare ook. Daarmee waren ouders voorlopig afgedaan en ze kwamen op minder veilige informatie: hun vroegere relaties. Wendolyn had een reeks vriendjes achter de rug die haar achtereenvolgens haar onschuld, haar onbevangenheid en haar geld hadden gekost. Eric had maar één relatie om over te vertellen: die met Olga. Net als Wendolyn veertien jaar jonger dan hij.

Wendolyn moest erom lachen.

'Zoek je je dames erop uit?' zei ze terwijl ze een toetje koos.

Grijnzend schudde hij zijn hoofd, maar hij keek weer ernstig toen hij zei: 'We zijn twee jaar geleden gescheiden.'

Ze zag hem naar zijn lege bord kijken.

'Omdat...?'

Hij haalde zijn schouders op, schoof zijn wijnglas van zich af en zei: 'Ze werd verliefd op een andere man.'

'Ai,' zei Wendolyn. 'Wat pijnlijk.'

'Ja. Vooral omdat ze dacht dat die andere man een betere vader was. Dat die zich wél met de kinderen bemoeide,' zei Eric sip.

Kinderen?

Het bleken er drie: Jasper, Lisa en Daniëlle – nu tien, acht en vijf jaar oud. Wendolyn schrok ervan. Drie kinderen. En nog zo jong.

'En jij?' vroeg Eric. 'Heb jij kinderen?'

'Nee.'

'Heeft dat een reden?' vroeg hij voorzichtig.

'Nee. Ik heb gewoon nooit een kinderwens gehad.'

In haar leven was er voor kinderen helemaal geen plaats. Ze zag haar secuur geplande agenda en zorgvuldig opgebouwde netwerk al doorkruist worden door verplichte ouderavonden en zwemlessen, door snotneuzen en waterpokken, door wachtlijsten voor crèches en een oppas die niet kwam opdagen. Nee hoor, niets voor haar.

Ze keek Eric aan en registreerde de opluchting op zijn gezicht;

16

hij voelde natuurlijk niets voor een nieuwe ronde vieze luiers.

Eric stak zijn hand over de tafel heen en legde hem op de hare.

'Leuke mevrouw,' zei hij.

Ze lachte blij.

'Leuke meneer,' zei ze.

'Je weet niet wat je mist,' zeiden de vriendinnen van Wendolyn, en ze toonden haar trots de foto's van hun kroost, die ze als trofeeën meedroegen in hun grote huishoudportemonnee. 'Het is zó leuk. Het is zo bijzonder. Het mooiste wat je kan overkomen.'

'Hmm,' had Wendolyn dan geantwoord, want ze zag heus wel de permanente, donkere kringen onder de ogen van die vriendinnen; ze zag een van hen die voortdurend in de wachtkamer van de huisarts bivakkeerde voor een van haar twee koters of voor zichzelf; en ze zag bijvoorbeeld hoe Klara, die al wat langer geleden aan kinderen was begonnen, zich nu door de periode van de eerste brommers, eerste vriendjes en eerste dronkenschap heen worstelde. Het enige doel in het leven van Klara, leek het, was ervoor te zorgen dat haar kids onderweg naar volwassenheid geen onherstelbare schade opliepen. Of aanrichtten.

De week na dat eerste etentje hingen Eric en Wendolyn bijna elke avond aan de telefoon; ze bleken nog lang niet uitgepraat. Uiteindelijk volgden er dus nieuwe afspraken – alhoewel Wendolyn haar twijfels had: kinderen veranderden immers het hele perspectief van een relatie tussen haar en de lange, grijze neuroloog Eric? Ze was blij dat bij de nieuwe afspraken de kinderen voorlopig buiten beeld bleven. Het bevreemdde haar wel dat er geen moment was waarop ze stond te tollen van verliefdheid, zoals dat bij al haar andere verliefheden het geval was geweest. Het voordeel was dat ze dit keer met beide benen op de grond bleef en haar verbazing erover uitte ze alleen tegen haar beste vriendin

17

Heleen, ook een freelance consultant, met wie ze een weekje ging skiën.

'Het is de minst turbulente relatie die ik ooit heb gehad,' zei ze terwijl ze zacht schommelend in de stoeltjeslift keek hoe het besneeuwde berglandschap onder hen door gleed en voor hen oprees.

'Wat is het dan wel?' vroeg Heleen. Ze zocht in de zakken van haar zuurstokroze skipak naar een sunblock.

'Het is veilig,' zei Wendolyn peinzend. 'Het is ontzettend veilig. En rustig.' Ze volgde met haar ogen een skiër die zich met doodsverachting van een zwarte piste af stortte.

Heleen lachte en smeerde de sunblock op haar neus.

'Goed, toch?' zei ze.

'Maar hij is zo anders dan de andere mannen die er in mijn leven waren.'

Heleen snoof bij de herinnering aan Wendolyns andere mannen; ze had ze bijna allemaal meegemaakt.

'Misschien moet je daar maar blij mee zijn,' zei ze. Ze zag het eindpunt van de lift naderen en klapte de veiligheidsstang alvast omhoog.

In de restaurants, musea en theaters die ze samen bezochten, ontdekten Wendolyn en Eric dat ze dezelfde dingen lekker, mooi en leuk vonden. Ze genoten van elkaars aanwezigheid: hij koesterde zich in haar lach, energie en impulsiviteit; zij viel voor zijn rust, zorgvuldigheid en aandacht. Dat bleek ook in bed heel plezierig.

Eric kon niet skiën, dus met hem ging ze een paar maanden later vanuit een nog koud voorjaar in Nederland naar het zonnige eiland Lanzarote. Voor Eric was dat nieuw: zomaar vrij, zomaar uitslapen, zomaar een restaurantje binnenlopen en er onbekende dingen eten, zomaar seks overdag. Zoiets had hij nog nooit gedaan, ook niet met zijn ex Olga.

18

'Wat deden jullie dan wél samen?' vroeg ze nieuwsgierig toen ze de eerste avond op het terras van hun appartement van de zwoele avond genoten.

'Gewoon,' zei Eric.

'Kinderen maken,' lachte ze.

Hij grimaste en haalde toen diep adem.

'Tot ik Olga ontmoette, was ik nogal een *lone wolf*. Ik geloof dat ik verliefder was op het wonder dat ze verliefd op me werd dan dat ik verliefd was op Olga zelf.'

Wendolyn was even stil.

'Maar je trouwde wel met haar,' zei ze toen.

'Ja. Ik trouwde wel met haar.'

Wendolyn hoopte dat er nog een vervolg kwam, want zoveel vertelde Eric niet over zijn verleden – niet over zijn huwelijk met Olga, en niet over zijn jeugd. Ze zag zijn profiel afsteken tegen de heldere sterrenhemel. Mooi profiel, mooie sterrenhemel.

'Olga was de eerste bij wie ik me thuis voelde,' zei hij ineens.

'Maar je vader en moeder dan? Het dorp waar je opgroeide? Dat was toch ook een thuis?'

'Mijn vader en moeder waren al overleden toen ik Olga ontmoette. Wat ik zei: ik was nogal alleen...'

Ze kroop over de plastic kussens van de terrasbank tegen hem aan.

'Vertel eens wat meer over je ouders. Wat waren dat voor mensen? Behalve gemeenteambtenaar en volgzaam...'

Eric lachte zacht. 'Word ik nu gecoacht?' zei hij.

'Nee,' zei ze, een beetje beledigd. 'Ik wil gewoon meer van je weten.'

'Mijn ouders waren burgerlijk. Gewoon. Heel dorps.'

'Leuk, een dorp. Toch?'

'Nee,' zei hij simpelweg. 'Niet leuk. Iedereen wist alles van iedereen.' Er viel weer een stilte, en toen zei hij alleen nog: 'Ik was blij dat ik daar weg kon. Dat ik kon gaan studeren. Dat ik Olga ontmoette.'

'En die kinderen?'

Eric stond op en liep met de glazen en de lege wijnfles naar binnen.

'Olga was degene die kinderen wilde,' zei hij toen hij terugkwam. 'Ik vond het moeilijk, kinderen. Vind het nog steeds moeilijk. Ik vind het zo'n verantwoordelijkheid.'

'Ja. Dat is het natuurlijk ook.'

Hij trok haar zachtjes overeind, nam haar in zijn armen en kuste haar.

'Genoeg gepraat?' lachte ze tegen zijn mond.

'Allang genoeg gepraat,' zei hij, en hij nam haar mee naar binnen.

Toen ze de volgende dag met zanderige hand in zanderige hand over het strand slenterden, zei Wendolyn: 'Je werk als arts is toch ook verantwoordelijk?' Toen hij vannacht na het vrijen in slaap was gevallen, had ze nog over zijn woorden liggen nadenken. Nu hoorde ze hem lachen.

'Daar heb ik voor gestudeerd,' zei hij. Daarna vertelde hij toch nog iets meer: hoe het misging vanaf de geboorte van Jasper, dat Olga en hij ruzie kregen over wie er wanneer thuis moest zijn, over of ze Jasper wel of niet moesten laten liggen als hij huilde, over de was en de afwas en het buitenzetten van een vuilniszak.

'Stomme dingen,' concludeerde hij.

Ze streken neer op een terrasje, met uitzicht op zee.

'Dus maakten jullie er nog twee,' zei Wendolyn, en ze hoorde zelf dat dat niet erg aardig klonk.

Eric draaide zich naar haar toe.

'Had jij niet een broer gewild?' zei hij. 'Of een zus?'

Wendolyn zweeg en dronk haar koffie. Ja, natuurlijk, dacht ze. Een broer of een zus. Iemand met wie ze vanzelfsprekend close was, met wie ze zou opgroeien en jeugdherinneringen deelde. Had ze een broer of een zus gehad, dan hadden ze samen... Ze zag ineens het gezicht van haar vader voor zich. Daarna het gezicht van haar moeder. Ook zij vertelde Eric niet alles.

'Ik wel,' zei Eric. 'En ik vond niet dat ik Jasper een broer of een zus mocht ontzeggen.' Het klonk als een feit waarmee hij had moeten leren leven.

'En één zusje was niet genoeg?' Ook dat klonk onaardig, besefte Wendolyn toen ze het zei. Alsof ze het bestaan van een heel kind ter discussie stelde, een heel leven op de weegschaal legde.

'Sorry.'

'Ik wil douchen,' zei hij. 'Dat zand overal is niet fijn.'

'Dat zand waar?' zei ze. Ze stak haar hand uit en liet die over zijn rug naar beneden glijden.

Die avond, weer op het terras onder de sterrenhemel, zagen ze een ster vallen.

'Doe een wens!' zei Wendolyn.

'Ik wens dat ik de goe-'

'Nee, sst, niets zeggen. Anders komt hij niet uit,' zei ze, hoewel ze best had willen weten wat Eric wenste. Ze liet zich van de bank op de nog warme terrastegels glijden toen het rode zwervertje zich weer meldde. Het scharminkelige katje liet zich hier elke avond stukjes vis voeren.

'Olga vond een gezin met twee kinderen niet compleet,' zei Eric terwijl Wendolyn het katje aaide. 'Ze zei dat het niet eerlijk zou zijn dat als een van de kinderen iets overkwam, dat de ander dat dan in z'n eentje zou moeten verwerken.'

Dat klonk ook niet erg aardig, dacht Wendolyn. Meer berekenend dan verlangend. Stel je voor dat Daniëlle later vroeg naar de reden van haar bestaan en dat ze dan hoorde dat ze een soort reserve-reserve was? Ze dacht niet dat ze die Olga erg leuk zou gaan vinden. Het katje spinde luid.

'Heeft Olga zelf zoiets meegemaakt, dat ze dat dacht?'

Eric schudde zijn hoofd.

21

'En jij?'

'Mijn jeugd...' Eric zuchtte diep en zei toen: 'Die was heel gewoontjes.'

Het was zonneklaar dat hij niet alles vertelde, maar Wendolyn stond zonder commentaar op om haar handen te gaan wassen – je wist nooit wat voor bacteriën zo'n kat bij zich had. Terwijl ze de kraan opendraaide, bedacht ze dat zijzelf ook haar geheimen had. Er waren onenightstands geweest die ze oversloeg als ze over de relaties in haar verleden vertelde, er waren blunders waarover ze niet sprak, en er was dat ene andere... Maar misschien hoefde je niet alles te delen. Of misschien was er, hopelijk was er, nog tijd genoeg om alles te delen.

'Ik hou van je,' zei ze toen ze terugkwam.

'En ik van jou,' zei hij blij.

Er viel nog een ster.

'Mogen twee wensen ook?'

'Ja, hoor,' zei ze. 'Of drie. Wat jij wilt.'

Ze kwamen die week in de meest verschrikkelijke souvenirwinkeltjes terecht omdat er cadeautjes aangeschaft moesten worden voor de kinderen: het eerste kind, het zusje en het reservezusje. Na lang wikken en wegen tussen planken vol kitsch en prullaria, kocht Eric voor zijn zoon een zakmes met de tekst ISLA DE LANZAROTE erop. Met het mes kon je nog geen plakje boter afsnijden.

'Hij is tien,' zei Wendolyn. 'Kun je hem niet beter een mes geven waarmee hij echt iets kan?'

'Hij is tien,' zei Eric. 'Wat denk jij dat ouders op het schoolplein zeggen als Jasper daar met een Zwitsers legermes rondloopt?'

Ze had geen idee wat die ouders zouden zeggen, maar ze kon zich er iets bij voorstellen en hield verder haar mond. Wat wist zij nou van kinderen en schoolpleinen?

22

Voor Lisa kocht Eric een zilveren ringetje met een gekleurd steentje erin, en voor de kleine Daniëlle een beschilderde zeester. Alles werd door de chagrijnige eigenaar van de souvenirshop in plastic doosjes verpakt, waarop Wendolyn later in het appartement las dat ze MADE IN CHINA waren. Ze wist niet of dat alleen de doosjes betrof of bijvoorbeeld ook de schildering op de zeester, maar ze zag ineens Chinese kindervingertjes voor zich die de zeester verfden.

'Maar waarom?' hoorde ze een kleine arbeidster vragen aan het meisje dat naast haar aan de lopende band stond. 'Waarom willen die mensen een zeester met kleurtjes?'

'Niet "waarom" vragen, Ling Ling. Gewoon doen.' Elke zeester die ze beschilderden bracht iets op – honderd zeesterren misschien een kommetje rijst.

Het ding was daarna waarschijnlijk met een heleboel andere rotzooi in een container geladen en naar Rotterdam verscheept, vanuit Rotterdam over de weg naar Schiphol gereden en eerst naar Barcelona en vervolgens naar Arrecife gevlogen. Daarna ging het in een stinkende vrachtwagen over de smalle wegen van Lanzarote op weg naar de souvenirwinkel, waar Eric de zeester bemachtigde om hem mee te nemen naar huis, niet eens zo heel ver van Rotterdam. Zo ging dat. Wendolyn haalde haar schouders op. Wat deed je eraan?

Ze was er niet bij toen de kinderen de cadeautjes in ontvangst namen; dat gebeurde tijdens een kinderweekend. Zo'n weekend had Eric om de twee weken, en terwijl Wendolyn na dat soort dagen juist helemaal was bijgeslapen, met vriendinnen had bijgepraat, de administratie had bijgewerkt en meestal een rondje sauna achter de rug had, strekte Eric zich 's zondagavonds moegestreden uit op de bank in haar flat en vertelde gapend over de spreekbeurt van Jasper, de grappige opmerkingen van Lisa of de nieuwe kadaveraanwinst van Daniëlle. Wendolyn vijlde haar na-

23

gels en luisterde met een half oor, omdat zij met haar gedachten alweer bij de aanstaande werkweek was.

'Ik zie ze nu maar eens in de twee weken,' peinsde Eric hardop vanaf haar bank, 'en toch heb ik het gevoel dat ik nu meer vader ben dan ooit.'

Wendolyn keek op, zag de kringen onder zijn ogen en besefte hoe ze het in hem waardeerde dat hij tenminste probeerde een papa te zijn. Er waren mannen in zijn situatie die met de noorderzon uit het leven van hun kinderen vertrokken, vooral als het nog zulke kleintjes waren. Ze lakte haar nagels netjes roze en dacht dat het nogal ironisch was dat wat ze in Eric waardeerde precies datgene was wat een leven met hem voor haar op z'n minst ingewikkeld maakte.

Ze stond op, gaf hem een kus op zijn hoofd en zette de televisie aan om naar het journaal te kijken. Er was net een verband aangetoond tussen de dierziekte BSE en de mensenziekte Creutzfeldt-Jakob. Ernstig, vond neuroloog Eric die berichten, en toen het journaal was afgelopen, bezwoer Wendolyn dat ze vegetariër werd. Maar dat had ze wel vaker gezegd en het was er eigenlijk nooit van gekomen. Het leek haar een heel werk om vlees te vermijden. Je moest het natuurlijk vervangen door andere producten, en voordat je dat allemaal had uitgezocht... Zo'n goeie kok was ze nu eenmaal niet, en de restaurants waar ze beroepshalve nogal eens at, hadden zelden een vegetarische keuze die vrolijk stemde. Ze koos dan dus meestal toch maar die lekkere ossobuco of Thaise kip, en vergat de beesten die erin waren verwerkt. Nu zou ze die prionen ook moeten vergeten.

24

2

Pas toen ze elkaar een halfjaar kenden, stemde Wendolyn ermee in om de kinderen te ontmoeten. Aanvankelijk zei ze: 'We kunnen het ze niet aandoen dat ze wennen en dan weer moeten ontwennen. De scheiding was vast al traumatisch genoeg.'

'Hoezo, ontwennen?' vroeg Eric, en hij klonk oprecht ontsteld. Hij zag hun toekomst zonnig in, want waren ze niet al zo veel mogelijk samen, in haar flat of in zijn grote huis? Vreeën ze niet de sterren van de hemel? En de maan? Ze gingen met z'n tweeën naar feestjes en zelfs naar etentjes van vrienden van haar en etentjes van vrienden van hem, bijvoorbeeld naar Heleen, die hem allang had goedgekeurd, en bijvoorbeeld naar gynaecoloog Ben en zijn vrouw Mirjam – vrienden van Eric die na de scheiding voor hem hadden klaargestaan. Wendolyn leerde oncoloog Farouk kennen, cardioloog Melissa, radioloog Kim en uroloog Jan-Frederik; Eric had zelfs Wendolyns vader al een keer ontmoet – een beetje per ongeluk in een museumzaal, maar toch.

'Jawel,' zei Wendolyn, 'maar we weten toch niet hoe het over een maand is? Over een half jaar, over een jaar...' Zo was haar ervaring: verhoudingen kwamen en verhoudingen gingen. Zo was het in haar leven tot nu toe nu eenmaal altijd gegaan. Eigenlijk waren de enige stabiele relaties in haar leven die met haar vriendinnen geweest.

'Misschien zijn wij over een jaar wel getrouwd,' lachte Eric, terwijl hij in haar keuken koffie stond in te schenken, hoewel hij haar natuurlijk niet ten huwelijk vroeg uit angst dat ze 'nee' zou zeggen. Ze had hem een keer met veel aplomb uitgelegd dat een huwelijk vooral veel rompslomp was als het uitging. Dat had ze in haar vriendenkring vaak genoeg gezien. Was men niet getrouwd, dan ging men na afloop gewoon ieder zijns weegs; was men wel getrouwd, dan ging die weg ineens via advocaten. Het was met hem en zijn 'wonder' Olga toch ook fout gegaan?

In september dat jaar waren ze echter nog steeds zo veel mogelijk samen en nog steeds gelukkig als ze samen waren. Ze voelde zich blij als hij kwam en miste hem als hij vanwege zo'n 'kinderweekend' niet kwam, dus ze besloot dat het er maar eens van moest komen. Ze moest de kinderen ontmoeten. Ze waren nu eenmaal onlosmakelijk met hem verbonden en ze zag in dat ze een plek tussen hen moest verwerven als ze bij Eric wilde blijven. En dat wilde ze.

'Zaterdag,' besloot ze.

Eric keek opgelucht. Hij voorzag geen problemen. Zij was hem lief en de kinderen waren hem lief; ze konden het dus vast wel goed vinden samen, en ze zou een prima moeder zijn. Was ze niet al een heel goede coach en consultant voor al die mannen en vrouwen die tegen een aanzienlijk uurtarief met haar kwamen praten? Over de problemen met hun chef, hun vastgeroeste loopbaan en hun doodlopende carrière? Al die mannen en vrouwen leidde ze naar de goede weg om dromen te verwezenlijken, of – vaker – een realistischer doel in hun leven te stellen. Eric had al eens cliënten van Wendolyn ontmoet en die hadden hem verteld wat een goede coach ze was, hoeveel men aan haar had en hoezeer zij had geholpen om het leven weer leuk te maken. Of op z'n minst draaglijk. Voor een paar kinderen zou ze dus haar hand niet omdraaien, verwachtte hij. Dat deed hij tenslotte ook niet...

'Een loopbaanbegeleider is echt wat anders dan een kinderjuf,

26

Eric,' zei Wendolyn een beetje gepikeerd, maar ze hield zich aan haar woord en reed de bewuste zaterdag tegen vijven naar Erics huis, zo'n dertig minuten van haar eigen flat vandaan. Onderweg oefende ze: 'Jasper, Lisa en Daniëlle. Jasper, Lisa en Daniëlle. Jasper is tien, Lisa acht en Daniëlle vijf jaar oud. Hallo, ik ben Wendolyn. Wen-do-lyn, ja. Dat rijmt op "nooit gezien", op "heel misschien" en op "rare trien".'

Ze zouden lachen, de kinderen, en ze zouden denken: nou, misschien is dit best wel een leuke mevrouw. Zo moeilijk kon het niet zijn. Wendolyn had zelfs nagedacht over de kleren die ze droeg: niet te jong en niet te hip, niet te tuttig en niet te duur om bang te hoeven zijn voor handjes vol yoghurt en vingerverf, geschikt om op haar knieën mee te doen aan een of ander spelletje op de grond, en bestand tegen stoeipartijen. Haar haar zat in een simpele paardenstaart, haar make-up was bescheiden en op de achterbank lag een plastic puntzak vol schuimbananen, die ze gauw nog even bij een benzinestation had gekocht.

Terwijl ze voor een stoplicht wachtte, realiseerde Wendolyn zich dat ze hoopte dat ze bij deze eerste kennismaking niet geconfronteerd werd met schaafwonden waar pleisters op geplakt moesten worden, dat ze geen tranen hoefde te drogen of snotneuzen snuiten, want ze zou echt niet weten hoe dat moest. Laat staan dat ze billen kon afvegen, of dat ze... Het verkeerslicht sprong op groen en ze trok op. Ze bedacht dat ze tegen de kinderen zou zeggen dat ze haar vooral niet 'mama' moesten noemen – stel je voor, ze hadden immers al een mama? Zij was Wendolyn, rare trien, haha, de vriendin van papa, en ze zou tegen hen zeggen dat ze hoopte dat ze ook hún vriendin kon zijn. Of misschien kon ze dat ook maar beter niet zeggen; misschien was het beter te wachten tot ze haar vanzelf als vriendin zouden beschouwen, als toeverlaat en vertrouwelinge, bijvoorbeeld wanneer ze een keer boos waren op papa of ruzie hadden met mama...

De ex van Eric had ze nog steeds niet ontmoet. Het leek haar

27

geen leuke vrouw, hoewel je iemand natuurlijk niet op haar voordeligst leert kennen via de verhalen van een ex-echtgenoot. Bovendien was Wendolyn zich ervan bewust dat Olga buiten de weekends dat Eric de kinderen had een alleenstaande moeder was met drie jonge kinderen. Ongetwijfeld was dat een zwaar bestaan, waar je vast niet leuker van werd.

Aan de andere kant bleef er het feit dat Olga Eric had bedrogen en in de steek gelaten. De trut. Háár Eric.

Wendolyn draaide de auto de drukke provinciale weg op waaraan Erics huis stond: een groot, vrijstaand pand dat gloeide in de latemiddagzon. Eric had het huis een jaar geleden gekocht, voordat hij Wendolyn leerde kennen, maar nadat hij overzicht had gekregen over wat de scheiding voor zijn financiële situatie betekende. Het was een groot huis, gebouwd in het begin van de twintigste eeuw: de tijd dat er ruimte en geld was voor hoge plafonds, gesneden voegen en een doelloos torentje. Beneden waren er twee grote kamers, door schuifdeuren met glas-in-lood van elkaar te scheiden. In de achterste kamer, die met openslaande deuren naar de tuin, had Eric een televisietoestel neergezet, een bank en een boekenkast. In de voorkamer, aan de kant van de drukke verkeersweg, stond alleen een grote eettafel met stoelen. Meer meubels had hij nog niet.

Op de eerste verdieping van het huis waren er maar liefst vier slaapkamers en twee kleine badkamers. Een van de badkamers grensde aan de slaapkamer van Eric, en tot Wendolyn haar tandenborstel er neerlegde, was die badkamer helemaal voor hem alleen. Wendolyn vond het prettig dat ze haar badkamer niet met de kinderen deelde, maar ook Eric vond dat fijn: een badkamer die nooit bezet was, nooit nat was, waar nooit witte tandpastastrepen in de wasbak zaten of remsporen in de wc-pot. Eigenlijk, dacht Wendolyn als hij erover sprak, was hij inderdaad geen man om kinderen te hebben. Je wist als je eraan begon toch dat er poep zou zijn, snot en chocopasta, inktvlekken van spontaan

28

leeggelopen pennen, overal Playmobil en legosteentjes? Ze vroeg zich af wat Olga tegen hem had gezegd toen ze had besloten dat ze kinderen wilde. Misschien had ze gedreigd Eric te verlaten? Olga was er blijkbaar nogal goed in om het leven naar haar hand te zetten. En Eric was natuurlijk bang geweest zijn 'thuis' kwijt te raken.

Het huis aan de Parnassusweg had ook nog een grote zolder en verder dus dat doelloze torentje, met een piepklein kamertje erin. Met de zolder en die torenkamer werd niets gedaan, want niemand voelde zich geroepen zich daar tussen de spinnen te wagen. Ook voor het tuintje voor en de tuin achter het huis was weinig belangstelling: in de voortuin werden auto's geparkeerd en fietsen gestald, en ook de achtertuin was grotendeels betegeld. Eric had niets met tuinieren. Net als Wendolyn hield hij niet van vieze handen, en geen van beiden begreep welk plezier mensen schiepen in zelf floxen en nicotiana zaaien en verspenen. Als je zulke planten dan per se wilde hebben, dan kon je ze tenslotte ook kant-en-klaar bloeiend kopen bij tuincentra.

Dat Eric zich zo'n enorm huis had kunnen veroorloven zat 'm in de locatie. Het was niet alleen de drukke provinciale weg die vlak voor het huis langs liep, maar vooral wat zich achter het huis bevond: de uitgestrekte begraafplaats van de stad. Rijen zerken, kruisen en een paar mausoleums, een urnenmuur, een strooiveldje en bijna elke dag ten minste één stoet van gebogen mensen, die in sombere kleding droevig achter een kist aan sjokten. De nabijheid van de begraafplaats was de werkelijke reden dat er maar weinig mensen waren komen kijken in de twee jaar dat het huis te koop had gestaan, en ook Olga had Eric hoofdschuddend aangekeken.

'Parnassusweg? Hoe denk je dat de kinderen dat gaan vinden?' had ze gevraagd.

Eric had het probleem niet meteen gezien.

'Je merkt het wel,' zei ze onheilspellend.

Aanvankelijk begreep Eric het echt niet. Was dat omdat de dood hem als arts vertrouwd was? Hij vond het huis alleen maar ruim en heerlijk rustig – om niet te zeggen doodstil, en de kinderen hadden ieder een eigen slaapkamer. Het kostte hem een aantal ellendige morgens bij IKEA en daarna een aantal ellendige uren doe-het-zelven om ze in te richten. Het was zijn vriend Ben die hem redde, zodat ze uiteindelijk met ieder een blikje bier tevreden tegen een workmate leunden en om zich heen keken naar één glanzend rood-witte kamer, twee roze kamers en overal laminaat. Klaar voor ontvangst. Glimlachend stelde Wendolyn zich voor hoe de mannen stoer het zweet van hun voorhoofd wisten en de inbussleuteltjes in de achterzak van hun spijkerbroek hadden gestoken: de neuroloog en de gynaecoloog.

De eerste nacht dat de kinderen op de Parnassusweg waren, bracht Eric ze alle drie naar hun eigen bed, maar de volgende morgen vond hij ze allemaal terug in dat van Jasper: de jongen op zijn rug met Daniëlle op zijn buik en een arm beschermend om Lisa heen geslagen. Toen hun moeder ze kwam ophalen, vertelde die dat Jasper haar 's nachts had gebeld. Hij was bang geweest. Logisch, wel. Ze had Jasper gevraagd waar papa was, en toen Jasper zei dat die er niet was, was ze ontsteld geweest. Eric had de kinderen toch niet alleen gelaten?! Nee, legde Jasper fluisterend uit, maar papa was op zijn kamer en had de deur dichtgedaan, dus papa sliep.

In plaats van dat Olga toen tegen Jasper had gezegd dat hij Eric moest gaan wekken, en dat papa Jasper en zijn zusjes wel zou troosten en beschermen, had ze gezegd dat, als ze bang waren – wat zij zich in zo'n groot huis wel kon voorstellen, zeker zo'n groot huis dat ook nog eens naast een... Nou ja, dat ze dan maar samen in één bed moesten gaan liggen en dat ze elkaar maar goed moesten vasthouden, en dat mama morgen heel vroeg zou komen om ze op te halen en mee naar huis te nemen.

Eric was beschaamd geweest, vertelde hij Wendolyn. De kin-

30

deren hadden kennelijk 's nachts in het huis kunnen rondspoken zonder dat hij, Eric, de verantwoordelijke, er iets van had gemerkt. En hij was boos, omdat Olga hem niet de rol van beschermer en trooster had gegund. Daarom had hij misschien iets te knorrig tegen Jasper gezegd dat hij de volgende keer zijn vader wakker moest maken, en daarna was het Lisa geweest die Eric moest uitleggen waarom Jasper ineens huilde. Ze waren bang, zei ze, dat Eric boos zou worden als ze hem wakker maakten, zoals Eric nu ook boos was, en ze zei dat ze naar huis wilden.

'Maar jullie mooie kamers!' had Eric uitgeroepen. En dit was toch óók hun huis, net als dat van mama?

Lisa had haar kinnetje koppig naar voren gestoken en verklaard dat ze het hier 'eng' vonden.

Toen zette Eric de kinderen naast elkaar in de achterkamer op de bank en ging zelf op het salontafeltje tegenover hen zitten. Hij keek naar Jasper, met zijn donkere haar rechtop van de gel, naar Lisa, met de plastic schuifspeldjes die de krullen uit haar bolle toet hielden, en naar Daniëlle, blond en steil. Zou het ooit wennen? Zou hij ooit van ze kunnen genieten? Want zo hoorde het natuurlijk.

Jasper keek intussen verwijtend naar hem, met nog rode ogen van het huilen. Daniëlle staarde in het niets en sabbelde slaperig op de blote benen van een barbiepop. Lisa zei dat Eric niet op tafel mocht zitten.

'Nu wel,' zei Eric, en daarna zei hij dat hij hun iets moest uitleggen. Hij had gesproken over begraafplaatsen en de stoeten zwarte auto's die hier dagelijks te zien waren, en hij legde uit wat de mannen die hier werkten deden en zelfs wat de kleine graafmachine die regelmatig over het terrein reed moest doen. Hij redeneerde en relativeerde, in de veronderstelling dat kennis de beste panacee is tegen angst. Hij sprak over de mensen die de graven bezochten, bloemen schikten en soms een kaarsje aanstaken; hij sprak over rust en over stilte, en over leven en over dood.

Alleen Daniëlle keek enigszins geïnteresseerd. Wat Jasper en Lisa betrof had hij net zo goed tegen de urnenmuur kunnen praten: zijn pogingen waren bij voorbaat ondermijnd door films vol ontwakende doden en mensen die levend werden begraven, vol geesten en spoken en zombies en mummies. Als het aan Eric had gelegen, zouden de kinderen niet naar dat soort films kijken, maar ze zagen ze stiekem bij vriendjes: full-colour en met special effects. Zijn saaie betoog was daar niet tegen opgewassen. Hij nam het Olga kwalijk.

'Er is geen enkele reden om bang te zijn voor dode mensen,' zei hij ten slotte. 'Levende zijn veel gevaarlijker.' Dat had hij beter niet kunnen zeggen: nu keken de kinderen hem met grote ogen aan.

Dat de kinderen naar de Parnassusweg waren blijven komen was volgens Eric vooral te danken aan het feit dat Olga tijd wilde hebben om door te brengen met haar nieuwe vriend en de kinderen dus elke twee weken op vrijdagavond simpelweg bij Eric dumpte. Het eerste halfjaar overviel hem altijd een gevoel van paniek als het drietal op de stoep stond met sporttassen vol minuscule hemdjes en onderbroekjes, altijd te weinig sokken en altijd te veel speelgoed. Hij wilde geen dierentuinpapa of pannenkoekenpapa worden, maar een weekend met de kinderen duurde lang, waardoor hij meestal toch maar naar de dierentuin ging en pannenkoeken bakte. Manmoedig zette hij zich over de beslagresten heen die na afloop van een pannenkoekenfestijn aan het gasfornuis kleefden en probeerde zich niets aan te trekken van het dunne laagje poedersuiker dat op de keukenvloer was neergedwarreld. Erger dan de beslagresten en de poedersuiker was overigens het feit dat een van de drie kinderen zich altijd overat en Eric 's nachts met plastic teiltjes in de weer moest omdat er werd gespuugd. Als hij heel eerlijk was, zei hij tegen Wendolyn, dan had hij op die momenten weleens gedacht: had ik

32

maar een vrouw. Maar hij was reëel genoeg om in te zien dat het niet zozeer een vrouw was die hij nodig had als wel een paar extra handen, en hij nam voor de maandagen een hulp in de huishouding, Milly.

'Dat was heel verstandig,' zei Wendolyn grijnzend. 'En vooral net op tijd.'

Om de kinderen af te leiden van wat zich achter de coniferenhaag in de tuin bevond en in een poging het huis een beetje gezelliger te maken, had Eric een houtkachel gekocht.

'Dat is sowieso handig,' legde hij Wendolyn uit. Het gaf een gevoel van onafhankelijkheid.

'Onafhankelijkheid?'

'Ja. Als de centrale verwarming uitvalt, dat je dan toch het huis warm kunt houden.'

Wendolyn lachte verbaasd en vroeg of Eric dan misschien ook flessen drinkwater in de gangkast had staan, een voorraad zeep en batterijen? Zijzelf geloofde niet zo in rampscenario's.

Toen ze nu de oprit van het huis op reed en haar auto naast die van Eric parkeerde, zag ze de rook van Erics kachel uit de schoorsteen kringelen. Ze rechtte haar schouders, stapte uit en voelde zich klaar voor de strijd – maar realiseerde zich meteen dat het verkeerd was om over de ontmoeting met Erics kinderen te denken in termen van strijd. Het waren toch maar kinderen? Natuurlijk ging het goed. Toch zat ze even later ongemakkelijk op een stoel tegenover ze: Jasper, Lisa en Daniëlle. Ze zaten naast Eric op de bank, keken naar hun schoenen en zwegen.

Eric schraapte zijn keel.

'Zo,' zei hij, geforceerd opgewekt. 'Daar zitten we dan.'

Dat was een feit.

Het werd weer stil. Het hout in de houtkachel knapte.

'Wil je nog koffie?' vroeg hij Wendolyn. Ze schudde haar hoofd en voelde haar gespannen nekspieren. Het ging allemaal

33

heel anders dan ze had verwacht: ze had zich voorbereid op zenuwachtig gegiechel en op nieuwsgierige vragen, niet op dit zwijgen.

'Zo,' zei Eric nog een keer, en hij sloeg met zijn handen op zijn knieën. 'Wat willen jullie eten vandaag?'

Eric en Wendolyn hadden goed nagedacht over het tijdstip waarop ze deze eerste keer zou arriveren. Niet te vroeg, zeiden ze tegen elkaar, want dan werd die eerste dag zo lang; maar ook niet te laat, want samen eten gaf een band.

De twee oudsten bleven naar hun schoenen kijken en haalden zwijgend hun schoudertjes op. De jongste zat met een pop te spelen. Wendolyns zak schuimbananen lag onaangeroerd op tafel.

'We kunnen,' zei Eric terwijl hij de benen van de pop uit Daniëlles mond trok, 'natuurlijk patat eten.'

Het bleef stil.

Daarnet in de gang hadden ze Wendolyn alle drie op verzoek van hun vader een handje gegeven – alle drie een slap handje, alle drie zonder haar recht aan te kijken en zonder een woord te zeggen. Nu vroeg Wendolyn zich af wat Eric over haar tegen de kinderen had gezegd; daarover hadden ze het niet gehad. Ze vond dat hij dat als vader zelf maar moest weten, maar misschien had hij zoiets doms gezegd als: 'Straks komt er een mevrouw van wie papa het heel erg fijn zou vinden als jullie die aardig gaan vinden.'

'Nou,' zei Eric, en hij stond op. 'Het is nog heel mooi weer. Jullie kunnen best even lekker in de tuin gaan spelen.'

Stilte.

Tot Jasper zei: 'Pap, mogen we tv kijken?'

Eric aarzelde en zei toen met een zucht: 'Dat is goed.'

Wendolyn stond ook op. Wat moest ze met dit zwijgende drietal, dat zo verwijtend naar haar keek? Ze vond ze niet eens leuk! Het jongetje leek veel te grote tanden in zijn mond te hebben, en

34

Lisa keek lijzig uit haar ogen. Alleen Daniëlle had nog iets schattigs...

Ze liep de kamer uit, Eric kwam haar achterna. In de keuken liet Wendolyn zich op een krukje aan de kleine keukentafel zakken en hoorde vanuit de huiskamer het geluid van de televisie. Eric leunde tegen het aanrecht, zijn lange benen gekruist.

'Het komt echt wel goed,' zei hij, maar ze zag dat ook hij onzeker werd van deze situatie. Daar had hij ook niet voor doorgeleerd, natuurlijk.

'Volgens mij zien ze me helemaal niet zitten,' zei ze somber.

'Ze moeten gewoon even aan je wennen.'

'Ik weet niet of dit zo'n goed idee was.'

Hij knielde bij haar neer en sloeg zijn armen troostend om haar middel.

'Vergeet niet dat je een leuke vrouw bent, Wendolyn. Het komt echt wel goed.'

Ze keek naar zijn mooie gezicht.

'Ik hou van je,' zei ze, 'en ik wil een leven met je, echt, maar ik weet niet of... Ik weet niet hoe je kinderen daarin passen. Ik geloof niet dat ik moedermateriaal ben.'

'Het komt wel. Ik heb ook aan ze moeten wennen.'

Dat klonk als een merkwaardig soort bekentenis.

'Papa?' klonk het door de dichte huiskamerdeur.

Eric liet haar los en ging staan.

'Geef het tijd,' zei hij. 'Jullie moeten elkaar leren kennen.'

'Páá-pa.'

'Ik kom!' riep hij, en tegen Wendolyn zei hij nog een keer: 'Geef het tijd.'

Nu drie stemmen tegelijkertijd: 'PAAAAAPAAAAAAA!'

Eric verdween naar de huiskamer en Wendolyn hoorde dat de televisie zachter werd gezet. Ze had een voorgevoel dat het in de toekomst zo zou blijven: als de kinderen er waren, gingen die voor. Als de kinderen er waren, kwam zij op de tweede plaats. Was ze tweedst.

35

Ze hoorde de hoge stemmen van de kinderen en de lage stem van Eric. Praatten ze over haar? Wat zeiden ze? Ze onderdrukte een zucht. Handig, Wendolyn, dacht ze. Een beetje paranoia kan er ook nog wel bij. Ze keek de grote, lege keuken rond, waarin zo te zien zelden werd gekookt. Waar kwam de patat vandaan die Eric net aan de kinderen had beloofd? Een snackbar in de buurt misschien? Ze kon zich haar lange neuroloog helemaal niet voorstellen in een snackbar, tussen mensen die berenklauwen bestelden en patatjes pindasaus – maar ze realiseerde zich dat er nog best veel was wat ze niet van Eric wist. Er was nog zoveel te vragen, zoveel te zeggen... Dat kreeg je ervan als je op latere leeftijd aan een serieuze relatie begon: veel te veel om te vertellen, veel te veel om uit te leggen. Ze trok haar schouders naar achter, stond op, deed de koelkast open en zag goddank een goede fles rosé in de deur staan. Er lag ook een pakje boterhamworst, dat ze verwonderd bekeek: op elk plakje worst was een clowntje afgebeeld. Dat soort worst was haar nooit opgevallen als ze zelf boodschappen deed, en ze besefte dat er een hele wereld van producten was die ze niet kende. Ze had de fase van 'Daar komt het locomotiefje' weliswaar overgeslagen, maar zou nu toch kennismaken met Nestlé, Danoontje en Fristi, met papjes en sapjes en snoepjes en haar onbekende koekjes.

Nieuwsgierig opende ze het deurtje van het vriesvak en zag daar een enorme zak diepvriespatat; Eric bakte die dus zelf. Kennelijk was dat een van de dingen die je leerde als vader. Hij mocht het vriesvak trouwens weleens ontdooien: dat zat vol ijs.

Ze schonk een glas rosé in en dronk dat in twee teugen leeg. Kom op, dacht ze. Je laat je niet in de luren leggen door een paar kinderen. Gewapend met een beetje *Dutch courage* ging ze terug naar de achterkamer.

Even later zag Wendolyn hoe Eric de patat bakte, in een frituurpan die hij buiten naast de keukendeur in de achtertuin zette.

Hij dekte de tafel in de voorkamer met vijf borden, een pot mayonaise en een rol keukenpapier.

'Gezellig,' zei ze meesmuilend. Hij keek haar zo ongelukkig aan dat ze naar hem toe liep en hem kuste.

'Denk je dat we het ook heel zachtjes kunnen?' fluisterde ze in zijn oor. 'Straks?'

'Vast wel,' lachte hij.

Toen de patat op tafel kwam, maakten de kinderen ruzie over wie waar mocht zitten: Jasper en Lisa wilden per se alle twee naast papa, waarop er met borden en stoelen geschoven moest worden om dat mogelijk te maken, en de kleine Daniëlle bleef geen keus en kwam naast Wendolyn terecht. Ze leek er niet zo mee te zitten.

Tijdens het eten werd er niet veel gezegd. Jasper en Lisa wierpen elkaar blikken toe en keken soms fronsend naar hun vader. Naar Wendolyn keken ze niet. Wendolyn hoorde zichzelf kauwen en dronk nog twee glazen rosé. Toen de borden leeg waren, keek Eric op zijn horloge en zei: 'Ik breng Daniëlle even naar bed.'

Zwijgend installeerden Jasper en Lisa zich weer op de bank voor de tv, terwijl Wendolyn borden opruimde, onwennig een houtblok in de haard gooide en daarna haar jas aantrok en door de keuken de achtertuin in liep. Uit de frituurpan op de grond walmde nog een baklucht. In haar jaszakken zocht ze naar een pakje sigaretten, stak er een op en ging op de enige stoel zitten die hier stond. Het was een plastic tuinstoel en hij zag eruit alsof hij hier jaren geleden door de vorige bewoners was achtergelaten. Het was niet heel koud, maar het motregende een beetje. Wat verloren keek ze naar de grijzigheid om zich heen. Het terras werd omzoomd door smalle borders met alleen wat stekelige struiken, waarvan ze de naam niet wist. Achter in de tuin was er de hoge, dichte haag van donkere coniferen en daar weer achter wist ze de uitgestrekte begraafplaats, in diepe rust. Ze voelde zich ineens eenzaam – een eenzaamheid die ze niet kende van het alleen in haar flat zijn, maar van veel langer geleden, van toen ze nog een klein meisje was. Er kwamen maar zelden vriendinnetjes bij haar thuis spelen, want dat was haar moeder algauw te veel, en het feit dat het gezin verhuisde gedurende Wendolyns lagereschooltijd en daarna nog een keer toen ze op de middelbare school zat, maakte haar vriendenkring er natuurlijk niet groter op. Maar zo was het nou eenmaal; haar vader hopte als burgemeester van de ene gemeente naar de andere, grotere gemeente, en haar moeder vond als verpleegkundige overal wel emplooi, dus die klaagde niet. Die klaagde nooit. En aan Wendolyn werd niets gevraagd.

Ze was dus een tamelijk eenzaam kind geweest, met zelden feestjes, en later, toen ze wat ouder was, zelfs geen oppasadressen. Haar ervaring met kinderen en beclownde boterhamworst was echt nihil.

Ze bukte zich, drukte de sigaret uit op de terrastegels en stond op om naar binnen te gaan. De keukendeur klemde en ze trok eraan. Er gebeurde niets. Ze gaf een ruk en besefte toen dat de deur helemaal niet klemde: hij zat op slot. Was hij op een wonderlijke manier vanzelf in het slot gevallen? Of had iemand hem op slot gedraaid? Eric toch zeker niet? Jasper? Lisa?

Ze tikte tegen de glazen ruitjes, maar er was niemand die dat hoorde – of wilde horen. Ze riep Erics naam en hoorde haar stem iel in de schemering weerklinken. Toen keek ze naar de openslaande deuren waarachter de huiskamer zich bevond. De deuren waren dicht, de zware gordijnen gesloten, dus ook hier tikte ze tegen het glas.

'Jasper! Lisa!' De namen kwamen onwennig uit haar mond, maar er werd geen gordijn opzijgeschoven en er kwam niemand kijken. Ze hoorde alleen het geluid van de tv.

Even bleef ze besluiteloos staan, huiverde, en besefte toen dat er niets anders op zat dan over het smalle pad langs het huis de vernederende tocht naar de voordeur te maken, dwars door over-hangende stekeltakken die nodig gesnoeid moesten worden; ze haakten aan Wendolyns jas en truitje. Boven stond een slaapka-merraam open, en ze hoorde Daniëlle in haar bed luidkeels zin-gen: 'Telmie wadjoe want, wadjoe riellieriellie want...'

Wendolyn bleef staan, probeerde een tak vol doorns los te ha-ken zonder dat er halen kwamen in het breisel van haar truitje, en dacht: *what do I really, really want...?* Bij de voordeur belde ze aan en er werd opengedaan door een stomverbaasde Eric.

'Ze hebben de deur op slot gedaan,' zei de gewaardeerde loop-baanbegeleider en gelauwerde voorzitter van grote congressen. Ze was bijna in tranen.

'Jasper!' riep Eric onmiddellijk verontwaardigd in de richting van de achterkamer. 'Lisa!' In de kamer klonk gesmoord gegie-chel, en Wendolyn wist niet goed hoe ze moest reageren. Mis-schien was het maar het best geamuseerd te doen, te doen alsof ze de humor wel inzag van zo'n goeie grap? De donderstenen! Misschien moest ze Eric ervan weerhouden om de kinderen op hun kop te geven, zodat die niet het gevoel kregen dat het door haar kwam dat papa nu boos op ze was en dat papa vanzelfspre-kend op haar hand was. Uiteindelijk stapte ze de kamer in met een gezicht alsof er niets was gebeurd, en ze negeerde Jasper en Lisa zoals zij haar negeerden. In de voorkamer ging ze aan de eet-tafel zitten, de goedbetaalde consultant...

'Dat was echt een rotstreek,' hoorde ze Eric in de achterkamer zeggen. 'Jullie zijn heel onaardig.'

'We wisten toch helemaal niet dat ze buiten was?' zei Jasper.

'We moeten toch altijd de deur dichtdoen?' zei Lisa.

'Dat is flauwekul, en dat weten jullie best. Weet je wat? Jullie gaan gewoon naar bed. Nu. Alle twee.'

Toen ze doorkregen dat Eric meende wat hij zei, begonnen de kinderen luidkeels te protesteren.

'Naar bed? Maar *Get the Picture* is nog niet eens afgelopen!'

'Daar hadden we ons net zo op verheugd!'

'Ja, al de hele dag!'

'En het was een grapje!'

Eric deed de televisie uit en posteerde zich voor de kinderen, zijn armen over elkaar.

'Nú,' zei hij zacht en dreigend.

'Maar pa-a-a-a-ap!'

'We zullen het nooit meer doen!'

'Het spijt ons!'

'Ja! Sorry!'

De woorden 'spijt' en 'sorry' klonken als losse flodders uit de kindermondjes. Moest Wendolyn nu ook iets zeggen? Misschien moest ze het opnemen voor de kinderen: 'Ach, Eric, het was maar een geintje...' Dan zouden de kinderen merken dat ze best een bondgenoot kon zijn. Of maakte ze het Eric dan moeilijk?

'NU!' bulderde Eric, met als resultaat dat het duo begon te huilen, van de bank opstond en in tranen naar de gang liep.

'Het spijt ze echt, geloof ik,' zei Wendolyn zachtjes. 'Laat maar, het is wel goed zo. Het was een grapje.'

'Het was een rotstreek,' zei Eric boos. 'Ze moeten weten dat ze zo niet met je om kunnen gaan.'

Op de trap schreeuwde Jasper naar beneden: 'Klootzak!'

'Ja, klootzak,' echode Lisa's hoge stemmetje, en Eric verdween naar de gang om pedagogisch in te grijpen. Met lood in de schoenen, waarschijnlijk: hij hield hier niet van. Hij was niet goed in conflicten, zeker niet in conflicten met de kinderen. Na een ruzie in het weekend – want ruzies waren er natuurlijk – zat hij op zondagavond steevast terneergeslagen op de bank in de flat van Wendolyn. Om te beginnen snapte hij meestal de reden niet van de boze tranen, en hij wist zelden hoe de onenigheid kon worden opgelost zonder dat een van de partijen gezichtsverlies leed. Wat dat betrof kon hij nog wat van haar leren, lachte hij dan – van de succesvolle coach en mediator.

'Je moet niet bang zijn,' zei ze. 'Ze gaan echt niet minder van je houden omdat je een keer boos op ze bent.'

'Denk je?' zei hij, en in de uitdrukking op zijn gezicht zag ze ineens de man die door zijn vrouw in de steek was gelaten, en daaronder nog iets anders, iets wat ze nog niet kon plaatsen.

Het was nu bijna twee jaar geleden dat Eric de kinderen had moeten vertellen dat papa en mama gingen scheiden. Daniëlle was het drama daarvan geheel ontgaan; die was nog veel te klein en zoog tijdens het gesprek slaperig op haar duim. Lisa en Jasper waren wel geschrokken.

'Ik wil dat niet,' zei Jasper met een trillende onderlip.

Eric had toen gezegd dat het helemaal niet zo erg was en dat ze elke twee weken bij papa zouden zijn, terwijl hij dacht: ze zien mij nu toch ook niet elke dag? Dat was tenminste wat Olga hem verweet. Hij had het druk, volgens Olga veel te druk: meestal was hij al vroeg in het ziekenhuis en pas na kinderbedtijd weer thuis. Alleen in het weekend trof hij 's ochtends de twee oudsten in hun pyjamaatjes voor de televisie, en Daniëlle tevreden pruttelend in de IKEA-kinderstoel in de keuken. Olga zat dan in een ochtendjas naast haar, koffie en de ochtendkrant voor zich op tafel, en als Eric binnenkwam keek ze verstoord op, alsof hij een vreemde was in huis.

Hij had niet goed geweten hoe ermee om te gaan. Nam hij niet genoeg op zijn schouders? Hij verdiende toch het geld waar het hele gezin op draaide, en hij ging ook nog eens over het welzijn van honderden patiënten. Volgens Olga zei hij daarmee echter impliciet dat zijn werk belangrijker was dan wat zij deed; dat voeden en opvoeden en schoonmaken en opruimen en stofzuigen, wassen en koken – kortom, dat alles wat zij deed dus van minder belang was.

Maar, had Eric gedacht, zij was toch degene die zo nodig kinderen had gewild? Niet hij...

'Maar hadden jullie dan nooit plezier met de kinderen?' had Wendolyn gevraagd. Zoals Eric het vertelde, was het leven in het gezin Binden alleen maar zwaar geweest. Wat zeiden haar vriendinnen ook alweer? Die hadden het toch over liefde en leuk en trots en vertedering? Nooit over zwaar... In elk geval nooit alleen maar over zwaar.

'Nee,' zei Eric haastig. 'Nee, ja, nee... Het ís natuurlijk ook heel leuk.'

Die eerste avond besloten Eric en Wendolyn samen dat het misschien het beste was als de kinderen toch nog even tv mochten kijken, en terwijl Wendolyn zat te wachten tot ze weer naar beneden kwamen, bedacht ze dat dit dus echt een heel slecht begin was. Ze hadden nu al een hekel aan haar. Wat als ze straks iets gingen roepen? 'Muts' of 'doos' of 'trut' of 'Je bent mijn moeder niet'? Ze keek naar de telefoon die op een bijzettafeltje naast de deur lag en overwoog even om Klara te bellen, omdat die zelf kinderen had en sinds ze was gescheiden en hertrouwd ook stiefkinderen. Van elk soort twee; dat waren er dus samen vier. Klara zou misschien zeggen: 'Och, meid, wat ik hier te stellen heb gehad met die kids. Ik heb het allemaal meegemaakt, hoor. Er loopt er hier eentje rond die het eerste half jaar met z'n handen at, alleen maar om mij te pesten...' Voor zover Wendolyn wist, was Klara echter nooit letterlijk buitengesloten. En zij had kunnen oefenen met haar eigen kinderen.

Voordat ze de telefoon kon pakken, hoorde ze Eric de trap af komen met Jasper en Lisa in zijn kielzog. Wendolyn ging rechtop zitten, klaar voor de strijd.

Toen een uurtje later beide kinderen eindelijk opnieuw naar boven waren en de fles rosé leeg was, gingen Wendolyn en Eric ook naar bed. Ze vreeën zonder geluid te maken. Wat het op zich wel weer spannend maakte.

De volgende morgen bracht Eric haar thee op bed. Het kopje

42

stond op een dienblaadje, er lag een voordeursleutel naast.

'Zo,' zei hij glimlachend terwijl hij zich voorover boog om haar voorhoofd te kussen. 'Jij wordt niet meer buitengesloten. Zelfs niet per ongeluk.'

De weken daarna had ze het gelukkig druk, en dat voorkwam dat Wendolyn ging zitten tobben over Eric en Erics kinderen. Er waren grote klussen en daarna moesten er rapporten over die klussen geschreven worden, er waren de vaste een-op-eencliënten die ze in haar flat ontving. De meesten van hen zag ze graag; ze hield ervan om met relatief eenvoudige hulpmiddelen nieuw inzicht te geven in hun sterke punten en de valkuilen. Er was er eigenlijk maar één die ze echt ingewikkeld vond: Ellen. Ellen was naar Wendolyn toe gestuurd door een wanhopige afdelingschef, want Ellen functioneerde niet. Het bedrijf betaalde Wendolyn goed, dus kennelijk had Ellen een waarde voor het bedrijf, maar wat die waarde was kon Wendolyn niet meteen ontdekken. Uit de verhalen die ze hoorde, concludeerde ze voorlopig alleen dat Ellen slecht lag bij haar collega's. Maar lag dat aan de collega's of aan Ellen? Zoals ze hier in de flat op de bank zat, leek er niet iets mis: Ellen was niet overdreven lelijk of dom, had niet overdreven tuttige kleren aan, ze stonk niet... Toch straalde ze aan alle kanten slachtofferschap uit.

'Je zult het vast niet begrijpen,' was het eerste wat ze steevast op huilerige toon tegen Wendolyn zei, en Wendolyn begreep het inderdaad niet. Wat was er mis met Ellen? In elk geval was er die blik van een geslagen hond, terwijl er nog niemand sloeg. Daaraan moest waarschijnlijk eerst iets worden gedaan. Misschien moest de vrouw op karate of zoiets.

Na het zoveelste onvruchtbare gesprek liet Wendolyn haar cliënt uit en liep daarna het balkon van haar flat op om haar de straat uit te zien lopen. Ellen sjokte met hangende schouders voort, keek niet op of om, lette niet op de wereld om haar heen:

43

het toonbeeld van een slachtoffer. Zo had ze er misschien zelf ook uitgezien, peinsde Wendolyn, toen ze die eerste keer de Parnassusweg verliet. Ook zo'n houding. Dom. Kinderen roken underdogs op kilometers afstand, dat wist iedereen, en underdog kon je zijn omdat je nieuw was op school, omdat je te dik of te dun was, een bril had of sproeten of... omdat je stiefmoeder was.

Peinzend keek ze uit over de stad. Het was spitsuur, dus in alle straten stonden rijen ronkende auto's voor het stoplicht, wurmden brommertjes zich tussen de files door, haastten voetgangers zich over de trottoirs. Soms overviel haar hier in de stad een benauwd gevoel, alsof ze al die honderdduizenden stadbewoners om zich heen zuurstof voelde inademen en kooldioxide voelde uitademen, alsof al die uitlaatpijpen en schoorstenen haar kant op wezen. De drie schriele bomen in haar straat konden daar niet tegenop. Dan dacht ze aan de Parnassusweg en de grote, oude bomen op de begraafplaats – de rust die daar heerste en, als er geen kinderen waren, de stilte in huis.

Haar blik ging omhoog, naar de kantoorgebouwen en de appartementencomplexen om haar heen, en nog hoger, naar de koude, heldere lucht en de condenssporen die vliegtuigen trokken, en ze ging rechtop staan. Ze was niet meer het eenzame schoolmeisje uit het verleden; ze was verdomme een succesvolle vrouw, en zo zou ze zich de volgende keer aan de kinderen presenteren. Want een volgende keer zou er komen, nam ze zich voor. Er waren talloze manieren waarop je je lief kwijt kon raken, maar aan zijn kinderen? Nee. Dat zou haar toch echt niet gebeuren.

Ze ging naar binnen, deed de balkondeuren dicht en zette de verwarming een graadje hoger, schreef een haastig verslagje over het gesprek met Ellen en reed daarna naar de Parnassusweg. Tot Erics verrassing zat ze klaar met een afhaalmaaltijd van de Thai toen hij thuiskwam.

'Hier zou ik wel aan kunnen wennen,' zei hij lachend terwijl hij zijn jas uittrok.

44

'Dat zou ik maar niet doen,' zei ze. 'Zo'n huishoudelijk type ben ik maar heel af en toe.' Alsof een maaltijd afhalen bij de Thai zo huishoudelijk was.

Tijdens het eten vroeg ze of de kinderen het nog over haar hadden gehad.

'Nee,' zei Eric, 'dus ik denk dat het wel goed komt.'

Verwonderd keek ze hem aan.

'Denk jij nou echt dat het als ze niks zeggen wel goed komt?' vroeg ze.

Hij haalde zijn schouders op.

'Dat denk ik, ja. Ik zou het wel horen als er klachten zijn, geloof me.'

'Ging dat vroeger zo bij jou thuis?'

'Dat... Ach kom, Wendolyn. Het was vroeger toch helemaal niet belangrijk wat je als kind van iets vond? Er werd je toch nooit iets gevraagd, en je werd toch niet geacht iets te zeggen of te vinden?'

'Jij bent ouder dan ik. Toen ik klein was, was het al heel gewoon dat kinderen...' Wendolyn dacht aan haar moeder.

'Dat kinderen wat? Had jij thuis iets te vertellen?'

Ze keek hem aan en besefte dat zij nog niet had verteld over de zwartste bladzijde in haar leven. Misschien werd het tijd om het daar eens over te hebben. Maar nu stond ze op en ging koffiezetten.

Er werden dat jaar wereldwijd veertig miljoen tamagotchi's verkocht, las Wendolyn in de krant. Veertig miljoen... Ieder westers kind leek er een te hebben, sommigen hadden er twee of drie, en degenen die er geen hadden zeurden erom. De computerkuikens verspreidden zich als een virus. Zelfs in Erics ziekenhuis piepte en bliepte het: in de wachtkamers, op verpleegafdelingen en zelfs in de kantine waar het personeel at. Kinderen, maar ook pubers, en zelfs een paar volwassenen, zaten geconcentreerd over

45

hun 'tama's' gebogen en lieten rustig iedereen wachten tot ze klaar waren, tot de specialisten aan toe. Erics geduld raakte al snel op. Hij plakte een vel papier op de deur van zijn spreekkamer met: BINNEN SVP GEEN TAMAGOTCHI'S AAN.

'Helpt het?' lachte Wendolyn.

'Een beetje,' zei Eric somber.

De tamagotchi's kwamen natuurlijk ook naar de Parnassusweg. Toen Wendolyn daar weer kwam, zag ze dat Jasper een gele, Lisa een blauwe en Daniëlle een roze exemplaar had. Net gekregen, van hun moeder. Misschien hoopte Olga dat Daniëlle zich door een tamagotchi zou laten afleiden van de knekels, botten en graten waar ze normaal gesproken mee rondliep. En als Daniëlle er een kreeg, dan moesten de andere twee er ook een. Zo ging dat met kinderen. De tamagotchi's leidden de kinderen in elk geval af van het feit dat Wendolyn er weer was: er was meer aandacht voor de virtuele huisdieren dan voor de echte stiefmoeder.

Eric nam de tijd om zich nu eens precies te laten uitleggen wat een tamagotchi was en hoe het allemaal werkte. Hij zette zijn leesbril erbij op en tuurde naar de stippeltjes en lijntjes op het schermpje: eerst vormden ze een soort ei, dan een soort kuiken en ten slotte een soort beestje.

'Is dat alles?' vroeg hij verbaasd.

'Dat is toch leuk?' zeiden Jasper en Lisa. 'Het is een soort vriendje.'

'Een baby'tje,' zei Daniëlle ernstig.

Wendolyn lachte haar toe, en tot haar vreugde lachte Daniëlle terug. Het leek misschien weinig, maar het was een begin.

Eric draaide de tamagotchi om en om, alsof hij er zeker van wilde zijn dat hij niet iets over het hoofd had gezien. Toen haalde hij zijn schouders op. Waarschijnlijk had hij bijna gezegd dat je dan nog beter een cavia kon nemen, maar herinnerde hij zich net op tijd dat huisdieren houden op de Parnassusweg geen goed idee was.

'En als je hem niet goed "verzorgt"?' vroeg hij nog.

'Dan gaat-ie natuurlijk dood, pap,' zei Jasper.

'En dan?'

'Dan kun je hem vast wel resetten, maar ik weet nog niet hoe dat –'

'Neeee!' riep Daniëlle. 'Resetten is vals spelen, hoor! Dan is het niet echt, dan telt het niet!' Jasper lachte haar uit.

Lang duurde de aandacht voor de tamagotchi's niet. Nog voor het avondeten kwam die van Lisa al piepend op de gang terecht; ze had nog geen knopje kunnen vinden waarmee je het beest het zwijgen kon opleggen en tot haar frustratie wilde Jasper niet vertellen hoe dat moest. Vervolgens raakte de tamagotchi van Jasper ineens helemaal zoek. Wendolyn keek fronsend naar Lisa, die nog steeds boos was op haar broer, maar ze zocht braaf met het gezin mee. Het minicomputertje bleek echter spoorloos en nergens klonk een piep.

'Dat kan niet,' zei Eric, terwijl hij voor de derde keer onder de kussens van de bank keek. 'Je bent niet buiten geweest, toch? Je hebt hem niet uit het raam gegooid, neem ik aan... Dan moet hij ergens in huis zijn.'

'Misschien is hij uit zijn broekzak gevallen toen hij naar de wc ging?' opperde Wendolyn.

'O!' zei Lisa, die vergat dat ze eigenlijk niet tegen Wendolyn sprak. 'Is-ie doorgespoeld! Als een goudvis!'

Eric keek ongelovig en Jasper haalde zijn schouders op.

'Nou ja,' zei hij, en hij ging iets anders doen.

's Avonds laat, toen de kinderen al in bed lagen, vond Eric in de gang de blauwe tamagotchi van Lisa onder een jas. Het ding piepte droevig.

'Geef maar,' zei Wendolyn vanaf de bank, en ze stak haar hand uit.

'Weet jij dan hoe dat moet?' zei Eric verbaasd.

'Als die kids van jou het kunnen, kan ik het ook,' zei ze, en ze

47

probeerde zich niet te belachelijk te voelen toen ze op de knopjes drukte, en ook niet te denken dat het opzet was van moeder Olga dat Wendolyn en Eric dit weekend ineens met die dwaze piepkuikens opgescheept zaten. Wat ze wel hoopte, was dat Lisa morgen blij zou zijn als ze een springlevende, goedverzorgde tamagotchi terugvond, en dat ze Wendolyn daardoor aardig zou gaan vinden, want als de kinderen aardig waren voor Wendolyn, werd het een stuk makkelijker voor Wendolyn om aardig te zijn voor de kinderen. Zo had Daniëlle immers ook al een stukje van haar hart veroverd?

Het liep natuurlijk anders. Toen Lisa de volgende ochtend de tamagotchi terugvond, begon ze de grenzen van het ding te verkennen. Konden ze sterven van de honger? Ja. Stikken in hun eigen poep? Ja. Aan een ziekte overlijden, als ze niet op tijd hun virtuele medicijnen kregen? Ja.

Dat was dus de laatste keer dat ik een tamagotchi red, dacht Wendolyn, en het was de eerste keer dat ze zich serieus afvroeg hoe deze kinderen, kinderen van deze generatie, met een echte hamster omgingen, of met een echte hond. Begrepen ze dat die geen aan- en uitknop hadden? Geen resetknop of batterijen? Ja, natuurlijk begrepen ze dat. Er was eind twintigste eeuw alleen verdomd weinig om dat werkelijk te ervaren. Op de Parnassusweg waren er in elk geval geen huisdieren, nergens stonden er planten in de vensterbank en er bloeiden geen bloemen in de tuin. Het zou haar niet verbazen als Jasper, Lisa en Daniëlle het soort kinderen waren waarover ze in de krant las: het soort dat denkt dat bruine koeien chocolademelk produceren, dat vissen visstickvormig zijn en dat gehakt uit de gehaktfabriek komt.

Eric lachte haar een beetje uit.

'Natuurlijk weten mijn kinderen wel wat echte dieren zijn,' zei hij. 'Ik heb ze vaak genoeg meegenomen naar de dierentuin.'

Ja, dus ze wisten hoe gekooide olifanten, apen en tijgers eruitzagen, dacht Wendolyn, maar hadden ze ooit een koe geaaid?

48

Een varken van dichtbij gezien? Ze las opiniestukken en ingezonden brieven van milieubewuste mensen – in Wendolyns beleving in wollen truien en op klompen – die waarschuwden dat er een generatie opgroeide zonder enig benul van de natuur. Misschien hadden die wel gelijk. En misschien was dat erg.

'Heb jij weleens een koe geaaid?' vroeg ze voor de zekerheid aan Daniëlle.

Het meisje keek haar met verbaasde ogen aan.

'Dat is gevaarlijk,' zei Jasper vanuit de achterkamer.

'Dat is vies,' zei Lisa, die naast hem zat.

'Kennen jullie dan iemand met een kat? Of een hond?'

'Ja, tuurlijk,' zei Daniëlle. 'Onze tante heeft een poes. Zooo lief.'

'Honden zijn eng,' zei Jasper, en in Wendolyn roerde zich ineens een onverwachte opvoeddrang. Ze raakte kennelijk betrokken. Ze nam zich voor de kinderen eens mee te nemen naar een kinderboerderij, en ze zou hun uitleggen dat een karbonaadje ooit een varken was geweest.

'O, *please*,' zei Eric, en hij kneep haar goedmoedig in haar zij. 'Ze doen al zo moeilijk met eten, en ik denk niet dat het zal helpen als jij ze gaat vertellen wat er in een knakworst zit... Trouwens, als ze iets over leven en dood willen weten, gaan ze maar op de kamer van Daniëlle kijken.'

Wendolyn schoot in de lach.

'Ze kunnen ook naar de begraafplaats,' zei ze.

Dat weekend bleek Daniëlle de enige zorgzame tamagotchimoeder: zij waakte over de noden van haar kuiken, voedde, verschoonde, speelde en was streng – want dat scheen je ook nog te moeten zijn, anders eindigde je met een continu zeurend, verwend en ongedisciplineerd exemplaar. Ja, inderdaad: net een kind. Behalve dan dat je daar geen kussen op legde om het piepen te smoren. In het beste geval.

Toen twee weken later Daniëlle nog steeds haar tama koesterde, vroeg Eric aan de andere twee: 'Kan er ook vanzelf een einde komen aan het leven van een tamagotchi? Doordat ze te oud worden, of doordat de batterij opraakt?' Hij voorzag een ontroostbare Daniëlle als de hare onverhoopt zou overlijden.

'Ja,' zei Lisa, en Daniëlle keek op. 'Dan zeg je dat ze naar hun thuisplaneet gaan.'

'En na hoe lang is dat?'

'Weet ik veel...'

Daniëlle liep met haar tama de tuin in. Ze was de enige die weleens buiten speelde. Altijd in de achtertuin en altijd in haar eentje, want haar broer en zus waren niet naar buiten te slaan: buiten was het te koud of te warm, en er was geen thermostaat; buiten was saai, want zonder televisie; en buiten was bovendien vol enge beestjes.

'Een beetje zielig dat ze daar altijd alleen is,' zei Wendolyn, terwijl ze door het raam in de achterkamer keek en zag dat Daniëlle op haar billen op de koude terrastegels zat.

'Ze vermaakt zich toch prima?' zei Eric. Hij kwam naast haar staan en sloeg een arm om haar schouders. 'En volgens mij heeft ze bij haar moeder en op school vriendinnetjes zat.' Hij streek Wendolyn zachtjes over haar rug.

'Je bent bezorgd,' zei hij met de George Clooney-lach die haar nog altijd deed smelten.

'Ik was zelf een eenzaam kind,' zei ze.

Eric wendde zich af terwijl hij zei: 'Geloof me, ik ook...'

Toen hij de tuin in liep om naar zijn dochter te gaan keek Wendolyn hem na, en ze zag in zijn houding voor het eerst iets van Ellen, haar slachtoffercliënt. Ze was er net achter gekomen dat Ellen de dochter was van een CEO van het bedrijf: dat was Ellens waarde en tegelijkertijd het probleem met haar collega's.

3

Wendolyn en Eric brachten inmiddels de weekends om en om door in de flat in de stad en in het huis op de Parnassusweg. De weekends in de stad waren gevuld met etentjes met vrienden, de schouwburg of musea (Eric soms met een pieper op zak als hij dienst had), en er waren ook rustige, stille avonden voor de tv. De weekends op de Parnassusweg waren gevuld met de kinderen en dus met lawaai.

Wendolyn bouwde in al die herrie langzaamaan in elk geval iets van een relatie op met Daniëlle; dat kwam waarschijnlijk doordat het meisje de jongste was en het meest onbevangen. Ze was niet zoals de twee anderen van meet af aan bevooroordeeld over de komst van Wendolyn – dat dat betekende dat papa en mama niet meer bij elkaar zouden gaan wonen en dat Wendolyn een wig was die de breuk definitief maakte. Het kwam echter vooral doordat Daniëlle nog niet goed kon lezen toen Wendolyn in haar leven kwam, want zo was het begonnen: met een boek. Op een dag liep Daniëlle daar wat verloren mee rond, terwijl Jasper en Lisa met Lego aan het spelen waren en constructies bedachten waar veel batterijen in moesten en die veel te ingewikkeld waren voor hun kleine zusje. Ze maakten haar dat op tamelijk hardhandige wijze duidelijk. Wendolyn zat in de voorkamer aan de eettafel en deed een poging om een essay over familierelaties op het werk te schrijven, maar ze keek op toen Daniëlle tegenover haar ging zitten en haar boek met een plof op het tafelblad liet neerkomen.

'Wat is dat voor een boek?' vroeg Wendolyn, hoewel ze het herkende. Ze had het een paar keer cadeau gedaan aan jarige kinderen van vriendinnen.

Met een ernstig gezicht zei Daniëlle: 'Het gaat over een mol die op zijn hoofd is gepoept.'

Blij met zo'n rechtstreeks antwoord, sloeg Wendolyn een hand voor haar mond en zei: 'Wát? Een mol die op zijn hóófd is gepoept? Maar wie heeft dat dan gedaan?'

Daniëlles wangen kreeg een opgewonden rode kleur.

'Daar gaat het over!' zei ze. 'Daarover gaat dit boek!'

'Nee!' riep Wendolyn uit, en ze zag in de achterkamer Jasper en Lisa met een wantrouwige blik van hun Lego opkijken. Werd hier gelogen? Werd hier stroop gesmeerd? Toen Daniëlle echter naast haar kwam zitten en het boek opensloeg, las Wendolyn alsof niets in de wereld belangrijker was: 'Over een kleine mol die wil weten wie...'

Zo was het begonnen tussen haar en Daniëlle: in eerste instantie een relatie gebaseerd op de boeken die werden aangesleept en die Wendolyn voorlas. Ze zou tien keer over mollen lezen, minstens tien keer over een rups en soms over een meisje dat eigenlijk een vogeltje was. Natuurlijk had Daniëlle sprookjesboeken in haar collectie, dus las Wendolyn ook over boze stiefmoeders: die van Assepoester en die van Sneeuwwitje.

'Spiegeltje, spiegeltje aan de wand...' riep ze, en ze gooide er een beetje *method acting* tegenaan. Daniëlle keek giechelend naar haar, en Wendolyn zag dat Eric op de bank zat te grijnzen. Daniëlle koppelde het begrip 'stiefmoeder' kennelijk nog niet aan Wendolyn, en Wendolyn besloot dat vooral zo te laten. Ook Eric hield wijselijk zijn mond.

Tijdens de voorleessessies zat Daniëlle bij Wendolyn aan tafel

52

of ze kroop, als er plek was op de bank, daar tegen haar aan. Wendolyn voelde dan haar haartjes tegen haar wang kriebelen en dat gaf haar een onverwacht, raar gevoel in haar buik. Het leek op honger.

Op een avond in november zaten Eric en Wendolyn in Wendolyns flat op de bank, met hun agenda's op schoot om de komende maanden door te nemen. De vrijheid van alleen maar verliefd zijn was allang ingehaald door dagelijkse beslommeringen. Eric noteerde in zijn zakagenda de dagen en avonden waarop Wendolyn werkte; zij zette in de filofax die nu in de mode was 'ED' op de dagen dat Eric dienst had en een groot kruis door de dagen dat de kinderen er waren.

'Aanstaande dinsdag en woensdag heb ik een klus,' zei ze. 'Ik leid een teambuilding, ergens op de Veluwe, en ik blijf daar overnachten.'

'Ik heb deze maanden maandag en donderdag dienst,' zei Eric. 'Oké...'

Wendolyn bladerde door en stopte toen. 'Tweede kerstdag toch niet, hoop ik?' Tweede kerstdag viel dat jaar op een donderdag en Olga had al gemeld dat zij die dag de kinderen per se niet wilde. De dag daarna overigens weer per se wél: dan vertrokken ze naar Zwitserland, met Olga's vriend Jamie, op wintersport.

'Meestal zijn die kerstdiensten wel rustig,' zei Eric. Wendolyn wist dat hij loog, en Eric wist dat Wendolyn dat wist. Hij keek haar aan, niet met een twinkel, maar met iets smekends in zijn grijze ogen.

'Eric, ik ga niet met jouw kinderen op de Parnassusweg kerst zitten vieren terwijl jij er misschien niet eens bent!'

'Het kwam nu eenmaal zo uit,' mompelde hij. 'Die diensten met kerst zijn voor niemand leuk. Die kan ik heel moeilijk ruilen.'

'Maar dat wist je toch al toen Olga vroeg of jij de kinderen tweede kerstdag kon hebben?'

53

Natuurlijk wist Eric dat, maar wat had hij tegen Olga moeten zeggen? 'Laat ze alleen'? 'Stop ze in een tehuis'? Olga wist het bovendien altijd zo te brengen dat uiteindelijk Eric degene was die zich schuldig voelde, dat hij dit jaar toch ook maar lekker naar Lanzarote was vertrokken, terwijl zij in een koud Nederland zat en de was deed.

'Ze heeft niets gevraagd, hè?' zei Wendolyn. 'Ze doet gewoon wat haar goed uitkomt.' Het irriteerde haar zo dat ze er acuut hoofdpijn van kreeg – hoewel dat ook aan haar verkoudheid kon liggen. Het had natuurlijk te maken met Olga's vriend Jamie, dacht ze. Ze had hem in de auto zien zitten: een magere man met een wilde bos rode krullen. Een heel ander type dan Eric. Jamie had natuurlijk verplichtingen bij ouders of andere familie, en Olga had waarschijnlijk zelf ook familie waarmee rekening gehouden moest worden. Maar Wendolyn dan? Wie hield er rekening met háár agenda? Met háár familie? Oké, haar enige directe familielid was alleen nog maar haar vader, maar juist omdat ze alleen haar vader nog had, wilde ze graag bij hem zijn met kerst. Zoveel tijd had ze niet om met hem door te brengen: hij woonde een eind weg, en bovendien had Wendolyn niet veel op met zijn nieuwe vrouw... Haar vader was echter wél de enige die nog herinneringen had aan hoe Wendolyn als kind was geweest en hij was de enige met wie ze de grote schrik en het verdriet om haar moeder had gedeeld, de enige die ze had vastgehouden bij de crematie. Daar wist Olga toch verdomme helemaal niets van? Bovendien waren er nog andere uitnodigingen en afspraken: Wendolyns vriendenclub trok aan de bel om samen kerst te vieren, of juist samen kerst over te slaan...

Het kwam er natuurlijk toch op neer dat Wendolyn tweede kerstdag met de kinderen in het huis aan de Parnassusweg zou moeten doorbrengen, heel eenvoudig omdat de balans nu eenmaal altijd doorslaat naar de kwetsbare groep, naar kinderen en patiënten. Kinderen die er niet om hadden gevraagd de kerstdagen in twee huizen door te brengen, patiënten die er niet om hadden gevraagd de kerstdagen doodziek en verward op de intensive care van een ziekenhuis te liggen. Wat kon Wendolyn daar nou tegen inbrengen? Wie was zij nou helemaal?

Er was eerst nog sinterklaas. Een feest dat je als volwassene gemakkelijk kon overslaan, maar niet als er kinderen in je leven waren. Al weken voor 5 december werden er hoopvol schoenen bij de houtkachel op de Parnassusweg gezet; toen Wendolyn op een ochtend als eerste beneden kwam zag ze ze staan. Ze was gedoucht, aangekleed en opgemaakt alsof ze in een hotel logeerde – ze kon zich nu eenmaal niet voorstellen dat ze zich tussen de kinderen op haar gemak zou voelen in een ochtendjas en met ongekamd haar. Nog niet. Dit gezin was nog steeds haar gezin niet, het huis nog steeds haar huis niet.

Ze snoot haar neus en voelde een pijnlijke druk in haar voorhoofdsholte. Alweer. Een tijdje geleden was ze naar de huisarts gegaan omdat ze zo vaak verkouden was of griep had. Haar huisarts had gevraagd of er iets was veranderd in Wendolyns leven, en toen ze haar had aangehoord, zei ze dat Wendolyn via de kinderen van Eric in aanraking kwam met alle virussen en bacillen van een hele basisschool en dat ze helemaal geen kans had gehad om daar immuniteit tegen op te bouwen. Het was dus geen wonder dat ze nu regelmatig ziek was.

'O,' zei Wendolyn. 'Natuurlijk.' Ze dacht aan neuspeuteren en deurknoppen, aan toiletbezoek en handen wassen, aan Jasper die geen hand voor zijn mond hield als hij niesde, en aan Daniëlle die met dooie beesten rondliep...

Ze staarde sniffend naar de schoenen die voor de houtkachel stonden: de afgetrapte voetbalschoen van Jasper – maat 37 al –, een laarsje van Lisa en van Daniëlle een kleine sneaker. Zo moest Wendolyns eigen schoen meer dan dertig jaar geleden ook voor een kachel hebben gestaan. 's Morgens zat er een pakje chocolade-

55

sigaretten in of een marsepeinen muis... Weemoedig schudde ze haar hoofd. Het gebeurde de laatste tijd vaak dat ze terugdacht aan het kind dat ze zelf was geweest. Dat ging vanzelf: de kinderkleren die ze hier van de vloer opraapte deden haar onvermijdelijk denken aan haar eigen kinderkleren, het snoepgoed aan haar eigen snoepgoed, het speelgoed aan haar eigen speelgoed. Ze herinnerde zich een springtouw met houten handvatten, een plastic diabolo en een teddybeer. De laatste stond nog in haar flat, boven op de boekenkast.

Wat Wendolyn zich ook herinnerde was het gezicht van haar moeder die naar het speelgoed keek en die dan schijnbaar verloren raakte in háár herinneringen. Herinneringen zonder speelgoed, zonder snoepgoed, zonder behoorlijk eten zelfs. Wendolyn wist nog hoe bang ze werd van die blik, die maakte dat ze niet ontevreden durfde te zijn met wat ze had – maar ook niet al te blij. Ze eindigde in een wanhopig soort neutrale houding.

Toen ze de kinderen boven hoorde stommelen, schrok ze op uit haar gepeins en haalde haastig het worteltje en een paar grassprietjes uit het schoentje van Daniëlle. Daniëlle was de enige van de drie kinderen die nog in Sinterklaas geloofde; de andere twee geloofden alleen nog heilig in snoepgoed en cadeautjes.

Van de bovenste plank in de hoge keukenkast pakte ze de drie chocoladeletters die Eric gisteren op de valreep bij een supermarkt was gaan kopen, een beetje gegeneerd omdat hij er niet eerder aan had gedacht. Er waren toch genoeg etalages, tv-reclames, folders en flyers die hem erop hadden gewezen... Voor dit soort dingen had hij zich inderdaad wel erg op Olga verlaten, precies zoals die hem verweet.

'Kreeg jij dan vroeger niets in je schoen?' had Wendolyn gevraagd.

'O, jawel,' zei Eric schouderophalend. Rolletjes pepermunt, herinnerde hij zich, om uit te delen...

56

'Dat was goedbedoeld, toch? Dat je vriendjes zou kunnen maken door iets uit te delen? Deed je dat?'

Hij lachte onverwacht schamper.

'Ik keek wel uit,' zei hij. 'Ze zouden de pepermunt waarschijnlijk naar mijn hoofd hebben gegooid.'

Verbaasd keek ze hem aan. Dat klonk niet erg vrolijk, niet als een onbezorgde jeugd in een knus dorp. Sprak hij er daarom zo zelden over? Was hij een kind dat was gepest?

Ze dacht er nu opnieuw over na terwijl ze de letters in de juiste schoenen stopte. Grappig eigenlijk: terwijl ze verantwoordelijk werk had en in het bezit was van een gloednieuwe auto en een appartement in de stad, had niets van dat al ooit gemaakt dat ze zich zo volwassen voelde als nu bij zoiets kleins als het vullen van kinderschoenen met sinterklaas... Toen ze terugliep naar de keuken, dacht ze aan de vriendinnen die wel kinderen hadden gekregen en aan hoe ze altijd met verwondering naar die vrouwen keek op het moment dat ze de eerste baby in hun armen hielden: ineens volwassen, ineens moeder. Of misschien werden ze al moeder op het moment dat ze het streepje op de Predictor-test zagen verkleuren? Als ze toetraden tot het gilde van vrouwen die wisten hoe het voelde: leven in je buik? Het gilde van vrouwen die op de hoogte zijn van zwangerschapshormonen, van bloeien en van vloeien, en daarna ineens ook van navelklemmen, speendoekjes, spuuglapjes, luiermaten en melkformules. Plotseling waren die vrouwen een 'mama', en omdat een kind eigenlijk maar één mama heeft, waren ze op slag niet meer inwisselbaar. Voor moederschap was er geen aan/uit-knopje; dat bleef. Zelfs als de moeder, of in het slechtste geval het kind, overleed. Moederschap was eeuwig. Even voelde ze opnieuw die merkwaardige honger in haar buik, maar omdat het gestommel boven zich nu naar de trap verplaatste, ging ze naar de keuken en zette niezend thee.

In de koude dagen voor kerst ging Wendolyn steeds meer van het huis aan de Parnassusweg houden. Hoewel ze een tweede computer had gekocht en hier dus nu ook werkte, gaf het huis haar een soort vakantiegevoel – zolang er geen kinderen waren, althans. Het was hier tamelijk ver weg van het stadsgewoel, met alles wat daar om aandacht en energie vroeg: bioscopen, restaurants, winkels en cafés... Voor de dagelijkse boodschappen ontdekte ze een paar winkels vlak in de buurt, waaronder een Turkse groentezaak, met kratten vol aubergines en piramides van tomaten. Er lag daar op een dag ook een bergje tulpenbollen; het kartonnen kaartje erboven beloofde een weelde van bonte tulpen in het voorjaar. Ze kocht een zakje vol: misschien zou Daniëlle het leuk vinden om bollen te planten? Iets wat helemaal vanzelf zou gaan groeien en bloeien, zonder batterijen. Die middag stond ze dus gaatjes in de harde grond tussen de stekelstruiken te graven, met een lepel, want tuingereedschap was hier niet. Naast haar in de vrieskou zat Daniëlle op haar hurken verbaasd toe te kijken. De twee anderen stonden in de warme huiskamer giebelend voor het raam. Wendolyn had de stellige indruk dat ze haar uitlachten.

'Het zijn net uien, Wennelien,' zei Daniëlle, die een van de bolletjes nauwkeurig bestudeerde.

'Ja... In de oorlog probeerden mensen ze te eten.'

'Was dat lekker?'

'Niet echt, geloof ik.'

'Mag ik er een proeven?'

Dat leek Wendolyn geen goed plan. Volgens haar zaten die snijbloemen tegenwoordig vol bestrijdingsmiddelen.

'Mag ik dan een ui planten?'

'Dat mag. Maar daar komt geen tulp uit.'

'Wat dan?'

'Dat zullen we wel zien.'

De volgende morgen holde Daniëlle naar het raam om te zien

58

of de tulpen in de tuin al bloeiden en of haar ui al was opgekomen.

Heleen, zelf nog midden in het stadsgewoel, zei lachend door de telefoon: 'Tulpenbollen planten? Jij? Haha!'

'Nou,' zei Wendolyn gepikeerd. 'Het is goed als die kinderen iets leren over de natuur.'

'Alsof jij daar zoveel vanaf weet...'

Nee, dacht Wendolyn. Zij niet. Haar moeder wel.

'En Eric werkt gewoon?'

'Ja.'

'En hij komt 's avonds thuis en dan eet hij wat jij voor hem in huis hebt gehaald?'

'Eh... ja.'

'En dan heb je de was gedaan en gestreken?'

Zo klonk het helemaal niet leuk.

'Eh...'

Maar ik doe het omdat ik van hem hou, dacht Wendolyn. Dat is toch niet zo raar? Ik doe het omdat hij het ook weleens voor mij doet, als hij tenminste tijd heeft en er geen kinderen zijn.

'Zie je wel?' zei Heleen. 'Ga je vanavond mee naar de film? Ik heb *Karakter* nog steeds niet gezien en daarover praten ze hier.'

Hiér. Alsof Wendolyn heel ergens anders was – dáár. Ze zat op de Parnassusweg maar een half uur rijden van Heleen vandaan, in de spits hooguit een uur, maar het was waar: ze woonde in een ander leven. Het was immers ook een hele oppas en een halfuur rijden van de theaters en nachtwinkels en bioscopen en kroegen en clubs en al die dingen die naast de deur waren als je in het centrum woonde, waar je even aanwipte als er geen kinderen waren, en die je ongepland bezocht omdat, als er een deur onverhoopt gesloten bleek, er altijd wel een andere open was. Met de telefoon nog aan haar oor keek ze een beetje verschrikt naar haar sloffen en toen naar haar trui. Ze keek naar de houtkachel die ze

59

net had weten aan te steken, met aanmaakblokjes en het hout uit het zakje dat ze uit de supermarkt had meegenomen, en ze dacht aan Eric, die verwachtte straks thuis te komen in een warm huis met het eten op het vuur. Of nou ja, in de magnetron.

'Goed,' zei ze tegen Heleen. 'Ik kom.'

Ze schreef een lief briefje voor Eric en stapte in de auto.

Het centrum van de stad was druk en gezellig. De kerstverlichting stemde naar behoren vrolijk en weemoedig tegelijk, en ze trof Heleen in het café dat ze als een van hun stamkroegen beschouwden. Daar waren ook andere vrienden en vriendinnen, dus het werd een vrolijke avond, en toch... Misschien was het omdat ze de lange, al zo vertrouwde aanwezigheid van Eric miste? Misschien lag het aan de film die ze zagen, of aan de flauwekuldiscussie die ze er vervolgens over voerden in het café, maar Wendolyn voelde zich ineens moe.

'Ik ga naar huis,' zei ze. Heleen keek verbaasd. Voor haar begon de avond pas; zij wilde nog gaan dansen... Wendolyn keek naar haar. Ze droeg een glanzend topje met een dun jasje erover, een strakke leren broek en open schoenen met smalle bandjes en hoge hakken: alsof het in het centrum van de stad geen winter was. Misschien was dat ook wel zo. Hier hoefde je je immers maar heel even op straat in de kou te begeven; dan schoof je gauw weer door een warmtegordijn een café in, je ging bij een terrasverwarming zitten of een winkel binnen door schuifdeuren die verwelkomend openstonden. Wendolyn keek naar haar eigen voeten, in schoenen die misschien iets te comfortabel waren voor een avondje stappen, en zeker voor dansen. Ik moet mijn eigen leven weer oppakken, dacht ze bezorgd. Voor ik het weet is het zoek, ben ik het kwijtgeraakt in een huis naast een begraafplaats, aan kinderen die niet mijn kinderen zijn.

Maar ja. Er was dus ook Eric. Van wie ze dus hield.

De avond van eerste kerstdag brachten Eric en Wendolyn door bij de vader van Wendolyn en diens nieuwe vrouw Alice. Toen ze Eric haar vader een hand zag geven, hun grijze hoofden glimlachend naar elkaar toe gebogen, realiseerde Wendolyn zich dat Eric en haar vader maar zestien jaar scheelden, niet zoveel meer dan Eric en zijzelf. Ze vroeg zich af hoe Eric haar vader zag: als generatiegenoot of als oude man?

In het huis van haar vader had Wendolyn zelf nooit gewoond, want ze woonde allang op zichzelf toen haar moeder overleed en haar vader als burgemeester naar de volgende (en laatste) gemeente verhuisde. Toch opende ze, toen Alice nog niet in haar vaders leven was, in dit nieuwe huis gewoon keukenkastjes als ze koffiekopjes of suiker zocht. Nu Alice hier was zou dat raar voelen en deed ze het niet meer, en daardoor was bij haar vader komen niet meer 'thuis' komen. Er stonden ook nog nauwelijks spullen die ze zich uit haar jeugd herinnerde, op een enkel schilderij, een wajangpop en een notenhouten ladekastje na. Op dat kastje, in een hoek van de kamer, stond een foto van Wendolyns moeder, in een zilveren lijstje. Zoals op alle foto's die er van haar genomen waren, keek ze met een bange glimlach naar de camera. Wendolyn zag Eric ernaar kijken, maar hij zei niets. Waarschijnlijk was hij bang de hele avond te bederven met een verkeerde vraag.

Alice zette een knus kerstmenu op tafel, waarop ze erg haar best had gedaan en dat Wendolyn herkende uit de *Allerhande*. Aan het gesprek deed de nieuwe vrouw van haar vader nauwelijks mee; terwijl er aan tafel gediscussieerd werd over politiek, het Kyoto-verdrag en BSE, hield Alice zich afzijdig. Ze redderde met glazen en schaaltjes, en zei uiteindelijk met een aanhankelijke blik op Wendolyns vader: 'Ik stem maar wat Ivo stemt. Het is allemaal zo ingewikkeld, die politiek.'

Wendolyn keek even naar haar vader, die haar een knipoog gaf en glimlachend zijn schouders ophaalde. Ach, leek hij te zeggen, je kunt niet alles hebben. Met Wendolyns moeder had hij toch ook niet over politiek en actualiteiten gesproken? Nooit verhitte debatten gevoerd? Stemmen werden in die tijd alleen verheven als hij zijn vrouw wilde overhalen om zich ergens als burgemeestersvrouw te presenteren. Meestal weigerde Wendolyns moeder dat. Wendolyn keek naar Alice, ontegenzeggelijk een mooie vrouw, goed geconserveerd, zoals dat heette – alsof een vrouw zoiets was als een paar ons sperzieboontjes. Alice schepte waarschijnlijk groot genoegen in haar representatieve taken, wat een excuus was voor een kledingkast vol jurken en kastplanken vol schoenen. Wendolyns vader zou er wel blij mee zijn.

Miste hij haar moeder nog? Zoals Wendolyn haar miste? Ze voelde zich verdrietig worden en was blij toen ze om elf uur afscheid namen. Even drukte haar vader zich tegen haar aan en fluisterde in haar oor: 'Ik mis je een beetje. Kom je gauw weer?'

'Ik heb het druk, pap,' zei ze. 'Maar ik zal vaak bellen.' Heel even dacht ze zijn wang tegen haar wang te voelen trillen; toen maakte ze zich los en verliet het huis dat haar huis niet was. Dat óók al haar huis niet was.

Terwijl Eric de auto door de donkere nacht stuurde, merkte hij dat er iets was en hij keek een paar keer bezorgd opzij. Met zijn rechterhand streelde hij even haar wang, misschien om te voelen of die vochtig was.

'Het was toch best gezellig?' zei hij uiteindelijk.

Wendolyn knikte en tuurde toen door het zijraam naar de enorme kantoorpanden langs de snelweg en zag de groene, rode en blauwe bedrijfslogo's in elkaar overvloeien. Ze pakte een tissue uit het dashboardkastje: daar lagen altijd tissues klaar om op de achterbank omgevallen cola op te deppen, monden af te vegen en uitgespuugde kauwgum in te pakken. Ze snoot haar neus.

'Toen jouw ouders overleden,' zei ze, 'en je geen ouderlijk huis meer had, had jij daar toen last van?'

62

'Dat ik me ontheemd voelde?' zei Eric. 'Nee, ik geloof dat ik dat meer had toen ik net gescheiden was van Olga. Toen had ik echt even geen thuis meer, behalve de zolderkamer van Ben.'

Hij reed voorzichtig, want het was glad.

'Maar toen ontmoette ik jou. Nu ben jij mijn thuis.'

Ze hoorde de warmte in zijn woorden en werd er blij van. Ze keek naar de flats waar ze langs reden, veel ramen nog verlicht, en stelde zich de levens daarachter voor: blijdschap en tragiek, hoop en vrees, liefde en haat... Was thuis een mens, vroeg ze zich af.

Eric schraapte zijn keel en vroeg toen: 'Waaraan is je moeder precies overleden?' Hij had daar nooit eerder naar gevraagd, Wendolyn kon alleen maar gissen naar het waarom. Was hij bang voor pijnlijke herinneringen aan een slopende ziekte? Was het omdat ze er zelf niet over begon? Of was het vooral omdat hijzelf geen vragen wilde over zijn ouders en zijn jeugd? Het was haar eerlijk gezegd wel goed uitgekomen. Daaraan had de drie jaar die ze ervoor bij een psychiater in therapie was geweest niets veranderd, al hadden de gesprekken wel wat geholpen bij de woede, schuld en schaamte.

Nu haalde ze diep adem en zei: 'Mijn moeder heeft zelfmoord gepleegd.'

Zo. Het hoge woord was eruit. De auto slingerde een fractie.

'Wát?' zei Eric geschrokken. 'Dat heb je nooit verteld. Wat erg.'

'Ja... Ja, het was erg.'

Haar moeder had als verpleegkundige de overdosis opiaten makkelijk kunnen verkrijgen; ze had precies geweten hoeveel ze op welke manier moest toedienen en ze was uit het leven gestapt toen ze vond dat ze niet meer nodig was. Alleen was ze nog wel nodig. Niet als verzorger, want Wendolyn stond in die tijd allang op eigen benen, maar gewoon, als moeder. Wendolyn was nog geen dertig geweest en nog helemaal niet klaar om iemand voorgoed te missen, met zo'n klap en zoveel opzet. Voor zover je daar ooit klaar voor bent, natuurlijk.

Eric stuurde door de bocht van de afslag naar de Parnassusweg. Het wegdek glansde verraderlijk.

'Dat heb je nooit verteld,' zei Eric nog een keer. Het klonk bijna als een verwijt, en ze had even de neiging om te zeggen: alsof jij zo open bent, alsof jij zoveel over jouw ouders vertelt! De woede, schuld en schaamte waren niet helemaal verdwenen.

'Tja,' zei ze. Ze was even stil en voegde er toen aan toe: 'Mijn moeder was een jappenkampkind.'

'Jappenkamp...?' vroeg Eric aarzelend. 'Daar weet ik eigenlijk niet zoveel vanaf.' Niet meer dan de meeste mensen die weleens een boek lazen of een documentaire hadden gezien over die interneringskampen in Indonesië, waar Nederlanders tijdens de Tweede Wereldoorlog onder erbarmelijke omstandigheden verbleven.

'Kwam het daardoor?' vroeg hij zacht.

'Het had ermee te maken, denk ik.'

Lange tijd had Wendolyn gedacht dat haar eenzaamheid te maken had met de verhuizingen in haar jeugd. Het was immers niet makkelijk geweest om als kind met een Noord-Hollands accent in de Achterhoek te belanden en daarna met een Achterhoekse tongval in de buurt van Amsterdam. Pas met de hulp van de psychiater kwam ze erachter dat haar eenzaamheid veel meer te maken had met haar moeder en haar moeders moeder: Wendolyn voelde zich buiten het verhaal gehouden dat bij haar familie hoorde. Ze wist dat er iets Heel Ergs was gebeurd in het verleden, maar veel meer werd haar niet verteld. Er werd vooral veel gezwegen, en het weinige dat ze over de kampen wist, wist ze van haar oma; toen die ouder werd, doorbrak ze bijna per ongeluk het grote zwijgen waaraan een hele Indische generatie meedeed. Nooit met een samenhangend verhaal, maar altijd in losse, angstige scènes, waar Wendolyn naar luisterde toen ze nog klein was en onopgemerkt in een hoekje van de kamer zat te spelen. Ze had het afwerende gezicht gezien waarmee haar moeder naar de verhalen zat te luisteren, de kopjes koffie *toebroek* op tafel.

Ze kreeg er nachtmerries over. Als het lijden te groot was om er zelfs jaren later woorden voor te vinden, dan moest het immers onnoemelijk groot zijn geweest? Voor die nachtmerries had Wendolyn zich geschaamd, want ze had er helemaal geen recht op; ze had haar moeder er dan ook nooit iets over verteld. Ook Wendolyn leerde zwijgen. Wel zocht ze op de jeugdafdeling van de bibliotheek naar boeken die haar iets meer zouden vertellen over de jappenkampen. De paar boeken die ze vond, verstopte ze voor haar moeder.

De kerstboom in de voorkamer was door de kinderen versierd met roze en paarse plastic ballen en rode slingers.

'Misschien kunnen we dennenappels gaan zoeken in het bos?' had Wendolyn geopperd toen ze de boom bekeek. Zodat er ook nog iets natuurlijks tussen al dat plastic zou komen te hangen, iets echts. Na veel vijven en zessen waren ze inderdaad met z'n allen naar een dennenbos gereden, waar Jasper en Lisa kleumend en mopperend achter Eric en Wendolyn aan sloften en Daniëlle al snel een vogellijkje vond. Het kind had er een neus voor. Tot overmaat van ramp ging het regenen, werden de dennenappels die Wendolyn verzamelde afgedaan als 'vies' en belandden ze uiteindelijk in de houtkachel, waar ze in elk geval nog een geur konden verspreiden van hars en hout. Een kerstige geur, vond Daniëlle. Wendolyn had tussen de herfstbladeren ook nog wat kastanjes gevonden die ze in haar fantasie onder bewonderende blikken van de kinderen boven de houtkachel pofte, maar het bleken geen tamme kastanjes en ze waren dus helemaal niet eetbaar. Dat had ze natuurlijk moeten weten, maar zulke dingen wist ze nou eenmaal niet – niet goed opgelet bij wat haar moeder haar ooit doceerde.

Tweede kerstdag werd Eric al om vijf uur 's middags weggeroepen in verband met een CVA, en daarna, toen hij net tien minuten thuis was, opnieuw omdat er een auto-ongeluk binnenkwam met een neurotrauma. Haastig propte hij een boterham in zijn mond en vertrok weer, door Wendolyn nagestaard met een mengeling van wanhoop en medelijden. Daar zat ze dan, met de kinderen van anderen, aan een kerstdiner dat bestond uit patat met kroketten en ijs toe, terwijl de televisie hard stond, het buiten vroor en er ook binnen een tamelijk koele sfeer heerste. Het was dat de kerstboom in de hoek van de huiskamer van plastic was, anders had hij van ellende vast zijn naalden laten vallen.

'What time is bed time?' had ze Eric gevraagd vlak voordat hij voor de tweede keer naar het ziekenhuis vertrok. De kinderen keken op toen Eric ook in het Engels antwoordde.

'Waarom praten jullie Engelands?' vroeg Daniëlle achterdochtig.

Tien uur voor de kleine en elf uur voor de andere twee: een lange avond strekte zich voor Wendolyn uit. Om half tien was Daniëlle op de bank in slaap gevallen en had ze het meisje met moeite overeind gekregen om het naar boven te brengen. Jasper en Lisa bleven op de bank achter en deden hun best er nog klaarwakker uit te zien.

Wendolyn stopte Daniëlle in, terwijl ze besloot dat tandenpoetsen morgen maar extra goed moest. Ze werd al aardig pragmatisch qua kinderen... Toen ze het dekbedje optrok tot aan de kin van het meisje, viel er een pop op de grond – gelukkig een echte pop, niet een geraamte of afgekloven skeletje. Het was een stoffen handpopje in de vorm van een pandabeer en Wendolyn stak haar hand erin.

'Sjo, gaan wai lekker sjlapen?' zei het pandabeertje, en het zwaaide met zijn pootjes.

Daniëlle giechelde.

'Jai bent een heel lief maisje. Welterusjten.' Het pandabeertje

66

gaf Daniëlle voorzichtig een kusje op haar neus. Daniëlle keek slaperig naar de panda en zei toen: 'Ik vind jou ook best wel lief.'

Verlegen borg het beertje zijn kopje in zijn poten en toen Wendolyn even later de trap af liep, voelde ze zich alsof ze een cadeautje had gekregen. Een kerstcadeautje. Ze glimlachte, en toen 's avonds laat Eric thuiskwam, glimlachte ze nog steeds.

'Ging het goed?' vroeg hij, blij verrast.

'Ja,' zei ze. 'Volgens mij groei ik erin.'

4

Niet lang na kerst kwam ook het verhaal van Eric op tafel. Gek genoeg bleek ook dat direct en indirect met de oorlog te maken te hebben.

De aanleiding was Jasper, die in januari op een zondagmiddag, precies een uur voordat zijn moeder hem en zijn zusjes weer zou komen halen, verschrikt opkeek van zijn gameboy en zei: 'O ja, pap. Ik moet nog huiswerk maken.'

'Waarom heb je dat niet eerder bedacht, sufferd!' zei Eric met lichte wanhoop. Hij was de spullen van de kinderen al bij elkaar aan het zoeken en propte ze in hun grote weekendtassen.

'Ik was het vergeten,' zei Jasper. 'Ik had er gewoon helemaal niet meer aan gedacht!'

Eric zuchtte.

'Wat moet je doen?' zei hij.

'Een boomstam maken.'

Niemand wist precies wat hij daarmee bedoelde, maar het zou wel een of ander natuurproject zijn. Jasper zat in de laatste groep van de basisschool en kreeg steeds meer huiswerk, ter voorbereiding op de middelbare school waar hij na de zomer naartoe zou gaan. Nu vroeg hij zijn vader om een groot vel papier en toen dat ergens in huis was gevonden, schreef hij zijn naam met koeienletters in het midden.

'En dan moeten jij en mama hier...' zei hij, en toen hij een dikke streep naar boven trok, begrepen ze dat hij een stamboom bedoelde. Wendolyn moest erom lachen.

'In dat geval kun je jouw naam beter onderaan zetten,' zei ze behulpzaam.

Jasper keek onzeker op, besloot zich niets van haar aan te trekken, schreef naast zijn naam de namen van Lisa en Daniëlle, en toen, op aanwijzing van zijn vader, de geboortedata eronder. De meiden kwamen nieuwsgierig kijken waar ze terechtgekomen waren.

'Nu jij en mama,' zei Jasper tegen Eric. 'Hoe heten jullie?'

'Dat weet je toch wel?' zei Eric.

'Nee, helemáál. Ik moet alle namen hebben en jullie geboortedatums.'

Olga heette Olga Blauwheuvel. Eric heette...

'Zes augustus negentienvierenveertig. Eric Anton Binden,' zei Eric. Hij straalde iets ongemakkelijks uit.

'Niks meer?'

'Nee.'

'Jawel, jij hebt nog een H,' zei Lisa wijsneuzerig. 'Er is weleens post waar dat op staat. Dr. H.E.A.'

Dat was waar, Wendolyn had het ook weleens gezien. Ook zij had er nieuwsgierig naar gevraagd, maar dat was een van die momenten geweest dat Eric zich als een oester sloot. Hij had dan onwillig zijn schouders opgehaald en gezegd: 'Een naam uit het verleden die ik niet mooi vind.' Hij keek er zo ongemakkelijk bij, dat Wendolyn maar niet verder vroeg en in stilte rare namen probeerde te bedenken die met een H begonnen. Ver kwam ze niet; ze kende een Hillid en een Honoré, maar de mannen die aan die namen vastzaten waren best leuk, en namen werden pas raar of naar door associatie.

Nu zei Eric echter tegen Jasper: 'Nou goed. De H staat voor Horst.' Hij keek naar Wendolyn, die schrok van zijn diep onge-

69

lukkige blik, en het ineens allemaal begreep: de zwijgzaamheid over zijn jeugd, de hekel aan het geboortedorp waar iedereen alles van iedereen wist, de onwil om over zijn ouders te praten. Vader gemeenteambtenaar, moeder volgzaam. Horst. Anton. In 1944.

Zie ons nou, dacht Wendolyn verbijsterd, aan deze tafel, in dit huis: allebei op onze eigen manier verbonden met een oorlog die de onze helemaal niet was, een oorlog van lang geleden. Ze stond op om glazen en drinken te halen, en liet onderweg even haar hand over Erics rug glijden. Ze voelde de spanning in zijn spieren.

Het was natuurlijk helemaal niet zo heel lang geleden, die oorlog, bedacht ze in de keuken. Toen hij begon, stond dit huis hier al een hele tijd. Toen Eric werd geboren, was hij nog bezig. Toen Wendolyn ter wereld kwam, was haar moeder nog maar dertien jaar eerder uit het jappenkamp gekomen. Met een dienblad vol glazen liep ze weer naar binnen, en ze hoorde Lisa giechelen: 'Horst rijmt op korst.'

'Tja,' zei Eric. 'Ik ben er nooit erg blij mee geweest, daarom heb ik voor Eric gekozen. Jullie mogen van mij dat Horst vergeten.'

'Weet je wat, pap,' zei Jasper, en hij demonstreerde een opmerkelijke fijngevoeligheid voor de stemming van zijn vader. 'Ik zet die H er gewoon niet op.'

Dat de jongen de koppeling maakte die Wendolyn had gemaakt kon ze zich niet voorstellen; daarvoor moest je achtergrondinformatie hebben die Jasper waarschijnlijk nog helemaal niet had. Wat wist die nou van de Tweede Wereldoorlog, van goed en fout, van de NSB? Laat staan zoiets als Anton Mussert en een Horst Wessel-lied...

Toen op het grote vel papier Eric en Olga ook aan hun ouders vastzaten, snapte Jasper waarom zijn naam eigenlijk onderaan had gemoeten.

'Twee opa's en twee oma's,' constateerde Lisa, die bijna languit over de tafel hing om mee te kijken. 'Maar we hebben maar één opa.'

'Nee,' zei Eric, 'jullie hebben er vier. Drie hebben jullie alleen nooit gekend. Of nauwelijks gekend. De moeder van Olga stierf vlak voor Daniëlle werd geboren.'

'Heet Daniëlle daarom Daniëlle?' zei Lisa, die de namen las.

'Precies.'

'En waarom heet ik Lisa en Jasper Jasper?'

'Dat vond jullie moeder mooie namen.'

'Jij ook?'

'Ja, ik ook.'

'En die andere opa en oma? Die van jou?'

'Die waren al overleden lang voordat jullie geboren werden.'

Lisa dacht daar diep over na.

'Maar dat waren dus jouw papa en mama?'

'Ja.'

'O.'

Ze durfde niet verder te vragen.

'Weet je nog meer?' vroeg Jasper terwijl hij naar zijn stamboom keek.

'Je kunt tante Marloes erop zetten,' zei Eric. 'Dat is de zus van je moeder. En oom Richard. En die zijn ook weer getrouwd en hebben ook weer kinderen – jullie neefjes, weet je wel? Karsten en Tim?'

'Het wordt wel groot, hè?' zei Jasper vergenoegd terwijl hij ijverig schreef.

'Je kunt de ouders van de opa's en oma's er ook nog op zetten,' zei Wendolyn.

'De ouders van de opa's en de oma's...? Nee, daar is geen plaats meer voor,' zei Jasper gedecideerd. Ouders van opa's en oma's – die waren kennelijk zo ver weg dat ze hem onwaarschijnlijk leken.

Toen de kinderen met hun moeder waren vertrokken, bleven Eric en Wendolyn nog lang praten. Ja, zei hij, zijn ouders waren fout geweest. Erg fout. En ja, dat wist natuurlijk het hele dorp. Ze wisten het bij de bakker en de slager, ze wisten het bij de kapper en de groenteboer, en ze wisten het ook op school. Nog jarenlang werd er naar hem gewezen, werd er achter zijn rug gefluisterd en wilden klasgenootjes niet met hem spelen.

Het leek hem op te luchten om er eindelijk over te praten.

'Had het maar eerder verteld,' zei Wendolyn, en ze streek hem troostend over zijn haar. 'Ik kijk heus niet anders naar je om wat je vader heeft gedaan.'

Hij haalde zijn schouders op. Als jongetje had hij geleerd dat mensen dat juist wel deden.

'Jij hebt toch ook heel lang gewacht met dat over jouw moeder te vertellen?' zei hij.

'Dat is waar...' Kleefde de zelfmoord van een moeder aan? Ze keek door het raam naar de donkere tuin en verlangde naar een sigaret.

'Je moet een bang jongetje zijn geweest. Hebben je ouders nooit overwogen om uit jullie dorp weg te gaan? Om ergens anders opnieuw te beginnen?'

'Daar hadden ze het geld niet voor,' zei Eric. Zijn vader had na de oorlog een paar jaar in een strafkamp gezeten, terwijl zijn moeder met de grootste moeite het hoofd boven water hield, voor haarzelf en voor haar kind. Later kreeg zijn vader een baantje op het gemeentehuis toegeschoven, misschien uit medelijden met de vrouw en het kind. Hij werkte echter nooit meer in de hogere echelons: hij sorteerde post en leegde prullenbakken.

Na een hele tijd stond Wendolyn op, trok in de hal een jas aan en liep door de keuken naar de tuin. Rillend van de kou stond ze daar te roken en dacht na over alles wat Eric had verteld. Dat hij zich als kind had voorgesteld hoe het moest zijn om ouders te hebben op wie je trots was, dat hij had gefantaseerd hoe het

72

moest zijn voor die andere kinderen in de klas, met een vader die verzetsheld of een moeder die koerierster was geweest. Hij was jaloers op ouders die in de strijd waren gesneuveld, vertelde hij; hij was jaloers op ouders die waren vervolgd, zelfs op ouders die de vervolging niet hadden overleefd. Dat was dus een jaloezie waarvoor hij zich diep schaamde.

Wendolyn moest denken aan de nachtmerries waar zij zich voor had geschaamd. Ze dacht ook aan haar eigen vader. Was ze trots op hem? Ja, zeker wel, maar met de oorlog had dat weinig van doen. Haar vader was twaalf toen de Tweede Wereldoorlog uitbrak: een kleine jongen, zo oud als Jasper nu bijna was, en haar vaders grootste verzetsdaad was dat hij samen met zijn zusje in de schuur stiekem naar Radio Oranje had geluisterd. Zijn ouders op hun beurt – Wendolyns opa en oma dus – hadden gedurende de oorlog gewoon doorgewerkt op hun boerderij in Friesland. Aardappelen en uien trekken zich niets van een oorlog aan en zijn altijd nodig. Op verjaardagen en andere familiebijeenkomsten had Wendolyn weleens iets gehoord over dat er op de boerderij kinderen waren geweest, maar het fijne wist ze daar niet van. Volgens haar waren het de zogenoemde ondervoede bleekneusjes uit de grote stad. Of zaten er ook onderduikertjes bij? Ze zou haar vader er eens naar vragen... Zijn verhaal was een beetje ondergesneeuwd geraakt door het nooit vertelde verhaal van haar moeder, en voor je het wist waren dat soort geschiedenissen voor altijd verdwenen.

Ze drukte haar sigaret uit in de stenen asbak die ze hier had neergezet en stelde verwonderd vast dat ze niet eens boos was dat Eric dit verhaal zo lang voor haar had verzwegen. Het was inderdaad prima vergelijkbaar met haar eigen zwijgen over een suïcidale moeder.

Toen ze terugkwam in de achterkamer, vroeg ze Eric: 'Heb je het ooit aan iemand verteld? Aan Olga? Aan Ben?'

'Olga wel. Ben niet. Niemand verder.'

Ze kroop tegen hem aan.

'Je bent alleen verantwoordelijk voor de keuzes die je zelf maakt,' zei ze. 'Niet voor die van je ouders.'

Hij kuste haar koude lippen.

'Je smaakt naar rook,' zei hij hoofdschuddend, en toen schonk hij nog een glas wijn voor haar in.

Hij vertelde die avond nog verder over zijn ouders. Hoe ze na de oorlog hun leven in de luwte hadden geleefd en hem op het hart hadden gedrukt dat ook te doen. Vooral niet opvallen, vooral geen aandacht trekken, en op die manier betrokken ze Eric er dus bij en maakten hem in elk geval voor zijn gevoel medeplichtig. Bovendien bleek in de luwte leven een luxe die in het kleine dorp niet voor hem was weggelegd.

'Je had het me eerder kunnen vertellen,' zei Wendolyn nogmaals. 'Ik was echt niet bij je weggelopen.'

'Ik wilde zo graag dat er een fraaiere familiegeschiedenis was om over te praten,' zei hij verdrietig. Zijn mooie grijze ogen stonden dof.

'Die hebben we dus helaas allebei niet,' zei ze, en ze ging op zijn schoot zitten. 'Misschien moeten we maar samen een mooie familiegeschiedenis maken?'

Een paar maanden later vierden Eric en Wendolyn dat ze een jaar samen waren en dat Wendolyn negenendertig was geworden. Eric nam haar mee uit eten, zonder kinderen, in een chique gelegenheid.

Terwijl hij zich in de wijnkaart verdiepte, keek zij het restaurant rond en stelde vast dat het hier niet kindvriendelijk was: veel te stil, veel te wit tafellinnen, veel te veel kristallen glazen en te lange wachttijden tussen de gangen door. Er was geen kindermenu van kipnuggets met appelmoes, er waren geen papieren placemats met kleurplaten, geen lolly's in de hal... Ze had het inmiddels allemaal meegemaakt.

'Wil je prosecco?' vroeg Eric.

Ze knikte tevreden en ging achteroverzitten. Kijk, daar zat toch een kind. Het was een meisje van ongeveer vijftien en ze zat aan een tafeltje met vier volwassenen. Het meisje zat rechtop, nipte van haar appelsap, veegde kruimeltjes naast haar bord weg en glimlachte af en toe beleefd. Wendolyn boog zich voorover en fluisterde tegen Eric: 'Dan toch maar een van die van jou.'

Hij keek over zijn schouder en daarna met een brede glimlach naar Wendolyn.

'Weet je het zeker? Die onopgevoede knoeipotten van mij?'

Ze opende haar mond en sloot hem weer. Was ze nou toch een boze stiefmoeder geworden? Nou zeg. Zo lang kende ze de kinderen nou ook weer niet. Vroeg zich trouwens ooit iemand af waarom boze stiefmoeders boos waren? Of dat bijvoorbeeld was omdat stiefkinderen zelden aardig waren tegen hun stiefmoeder? Omdat een stiefmoeder altijd haar partner met de kinderen deelde? Omdat ze het nooit voor het zeggen had, niet geacht werd er een eigen agenda op na te houden; omdat er geen ruimte was voor eigen ideeën en idealen over opvoeden?

'Zeggen de kinderen weleens iets over mij?' vroeg ze. Iets aardigs, bedoelde ze eigenlijk.

'Niet direct,' zei Eric aarzelend.

'Indirect dan?'

'Volgens mij zijn ze het gewoon gaan vinden dat je er bent.'

Gewoon.

'Maar ik vind het elke dag bijzonder,' zei Eric, en hij keek haar liefdevol aan. Wendolyn stak haar hand over het tafeltje en streek hem over zijn wang. Haar lief. Haar man. Haar maatje. Daarna keek ze naar de kreeft die de ober uitserveerde - ze hadden tenslotte iets te vieren - en ze dacht aan Daniëlle: die zou dit vast waanzinnig interessant gevonden hebben en met de kreeftenscharen gaan zitten spelen. Open, dicht, open, dicht. Ze glimlachte bij het idee. Daniëlle was een meisje van het binnenste buiten. Wendolyn moest haar alleen nog even leren haar interesse uit te breiden van de dode naar de levende natuur. Toen vorige week twee van de tulpenbollen de eerste groene puntjes verlegen boven de aarde uitstaken, was er nog maar weinig enthousiasme; Daniëlle was nauwelijks nog geïnteresseerd en allang weer bezig met andere dingen. De tijdsspanne die de tulpenbollen nodig hadden om uit te komen overschreed ruimschoots de aandachtsspanne van zesjarigen.

Het weekend daarna was weer zo'n weekend met een kruis in Wendolyns agenda: zo'n weekend dat niet voor Wendolyn was, en eigenlijk ook niet voor Eric, maar voor de kinderen. Die waren twee dagen lang hangerig en vervelend, en Wendolyn liep geregeld naar buiten om een sigaret te roken – hoewel Eric daar fronsend naar keek.

'Het is ongeveer het enige aan je wat ik niet leuk vind,' zei hij.

Ze voelde zich schuldig, maar tegelijkertijd was er een stemmetje in haar hoofd – waarschijnlijk het stemmetje van haar nicotineverslaving – dat haar vertelde dat ze, zeker in zo'n weekend met de kinderen, best iets voor zichzelf mocht hebben. En het gaf in elk geval vijf minuten rust.

Ze stond weer buiten te roken toen binnen de voordeurbel ging. Olga, waarschijnlijk, om haar kinderen te halen. Wendolyn liep naar binnen en zag tot haar verbazing dat Olga in de gang stond. Normaal gesproken bleef ze buiten in een auto met draaiende motor op de kinderen wachten.

'Wij moesten maar eens even kennismaken,' zei Olga tegen Wendolyn.

'Ja, natuurlijk,' zei Wendolyn, overvallen. 'Ga zitten. Glaasje wijn?'

De kinderen giechelden van opwinding – alsof Olga en Wendolyn elkaar elk moment krijsend in de haren konden vliegen.

'Doe maar een sapje,' zei Olga, en omdat er geen ander sap in

76

huis was, kneep Wendolyn in de keuken een pakje drinken van de kinderen boven een glas leeg. Toen ze terugkwam, was Olga met Eric aan de eettafel in de voorkamer gaan zitten. Ze zag er jong uit, jonger dan ze was en jonger dan Wendolyn zich na het lange kinderweekend voelde. Ze had de krullen die Lisa ook had en ze droeg een kort wollen rokje met een dikke maillot en mooie laarzen. Het stond haar goed.

Tegen de giebelende kinderen zei Olga: 'Gaan jullie maar tv kijken of op je kamers spelen, of wat dan ook. Hup, weg jullie!' Ze stond op en deed de schuifdeuren achter ze dicht, alsof het haar huis was. Dat was het niet. Maar het waren wel haar kinderen.

'Tuig,' zei ze liefdevol. Ze hoorden dat er minstens twee bonkend op weg gingen naar boven.

'Ze zijn leuk,' zei Wendolyn tegen de vrouw die de moeder was van haar stiefkinderen, die haar agenda bepaalde en die Eric had bedrogen.

Olga glimlachte beleefd. Eric schraapte zijn keel. Het was tijd voor overleg, zei Olga toen ernstig. Ze maakte zich zorgen over de knekelcollectie van de jongste. Ze had gehoopt dat Daniëlles hobby vanzelf zou overwaaien als ze ouder werd, maar dat gebeurde dus niet. Integendeel, het verzamelen duurde nu al meer dan twee jaar en de collectie breidde zich almaar uit.

'We moeten tegen haar zeggen dat ze ermee moet ophouden,' zei Olga. 'Stel je voor dat ze op school met die skeletten rond gaat lopen. Ik zie het gezicht van Sanne al!'

Wendolyn moest maar gissen dat Sanne de juf was en had het gevoel dat ze met het terloopse noemen van die naam op haar plaats werd gezet. Haar plaats was in de marge. Ze zei: 'Ik denk dat we het niet te zwaar moeten maken', maar geen van de ouders reageerde: Eric en Olga bespraken samen wat ze zouden doen aan 'het probleem'. Dat ze Daniëlle misschien niets moesten verbieden, maar haar moesten afleiden. Dat ze misschien iets meer moesten inzetten dan alleen een tamagotchi.

'Ik heb tulpenbollen met haar geplant,' zei Wendolyn. Ze zag Olga naar haar kijken alsof die niet begreep wat het een met het ander te maken had. 'Dat is iets wat leeft, toch?'

Vanuit een van de kinderkamers boven klonk een hard gebonk, alsof er met een hamer op de vloer werd geslagen.

'Ik ga wel even kijken,' zei Wendolyn. Ze vond het helemaal niet erg om de kamer te verlaten.

Boven trof ze Lisa en Daniëlle op Daniëlles kamer. Lisa had inderdaad een hamer in haar hand. Waar kwam die nou in godsnaam vandaan?

'Wat zijn jullie...' begon Wendolyn. De meiden keken betrapt.

'Hij was al dood, hoor,' zei Daniëlle.

'Ik moest het van haar,' zei Lisa haastig.

Tussen de meisjes in lagen op het laminaat de resten van een tamagotchi. De twee helften van het blauwe omhulsel waren nog heel, maar van elkaar gescheiden. Ertussenin lagen een stukje doorzichtig plastic, een knoopbatterijtje en nog wat kleine onderdeeltjes die Wendolyn niet herkende.

'Och, jezus,' zei ze. 'Nou, ga dat zelf maar aan je moeder vertellen. En haal stoffer en blik uit de keuken, als je toch beneden bent.'

Dat ging Daniëlle doen.

'Waar was dat nou voor nodig?' vroeg Wendolyn aan Lisa, die een beetje beteuterd naar de brokstukken keek.

'Ik geloof dat ze wilde weten of een tama een skelet heeft,' zei Lisa. 'Voor haar verzameling.'

Wendolyn schoot in de lach. Het meisje van het binnenste buiten.

'Maar dat kon jij haar toch wel vertellen?' zei ze. 'Jij wist toch wel dat dat niet zo is?'

Lisa haalde haar schouders op.

'Ze geloofde me niet. Ze zat te zeuren over dat als iets leeft, dat er dan iets in moet zitten waardoor het leeft. Of zoiets. Dus.'

Daniëlle op zoek naar een ziel.

'Dus toen vond jij dat jullie maar even jouw tama moesten slopen. Lekker zuinig zijn jullie op je speelgoed. Die van Jasper is ook al weg. Weet je hoe lang ik vroeger... Ach, laat ook maar.'

Daniëlle kwam terug met stoffer en blik, en ze veegden samen de resten van de overleden tamagotchi op. Er zaten putjes in het laminaat door het geweld waarmee hij was omgebracht, waar Wendolyn de meisjes mopperend op wees.

'Waar is die van jou eigenlijk, Daniëlle?' vroeg ze.

'Thuis,' zei Daniëlle.

Thuis. Dat was niet hier. Dat was waar ze het langst had gewoond en het vaakst verbleef – bij haar moeder dus. Beschouwde Eric eigenlijk alleen Wendolyn als een thuis, of ook dit huis? Het was te hopen, anders was er hier helemaal niemand thuis. En wat was een huis als er geen mensen zijn die het een thuis noemen? Een vrouw zonder kinderen, schoot het door Wendolyn heen. Ze schrok er zelf van. Waar kwam dat nou ineens vandaan?

Toen ze weer beneden kwam, vroeg Olga: 'Wat waren ze aan het doen?'

'Ze hebben een tamagotchi vermoord,' zei Wendolyn.

79

II

Paro

5

Ruim twee jaar later stond Olga opnieuw voor de deur van de Parnassusweg. Het was een koude zondag in mei en hoewel het geen kinderweekend was, maar zowel Eric als Wendolyn schrijf- werk had, waren ze niet naar de flat in de stad gegaan, hadden ze op de Parnassusweg de houtkachel aangestoken, een cd opgezet en waren ieder aan een kant van de eettafel gaan zitten werken. Eric verkeerde dus in de wereld van zijn patiënten en Wendolyn in die van haar cliënten, toen de voordeurbel klonk. Ze keken enigszins verstoord op, maar toen ze Olga binnenlieten, waren ze vooral verbaasd.

Terwijl Wendolyn in de keuken een verse pot thee zette, vroeg ze zich af waarover het deze keer zou gaan. De matige school- prestaties van Jasper? De naveltruitjes van Lisa? Of was Daniëlle weer thuisgekomen met een kadaver? Toen ze terugkeerde in de kamer, trof ze Eric aan met een arm om Olga's schouders. Olga huilde.

Ze vertelde dat zij 's ochtend was begonnen met overgeven. Ze was er blij mee, zei ze, terwijl de tranen over haar wangen biggel- den: een onverwacht cadeautje op haar eenenveertigste. Maar toen was Jamie ook gaan overgeven. Ze hadden er heel even om gelachen, zij en Jamie, maar toen het overgeven van Jamie aan- hield, en niet alleen 's morgens was maar eigenlijk de hele dag door, waren ze naar de huisarts gegaan. Die lachte niet, en stuurde Jamie naar een collega van Eric. Dat was natuurlijk niet best. Eric en collega's waren eigenlijk zelden goed nieuws.

De weken na dat onverwachte bezoek van Olga hield Eric contact met de collega, en hij en Wendolyn volgden het nieuws op de voet. Er werden onderzoeken gedaan en scans gemaakt, en de collega van Eric stuurde Jamie al spoedig naar een neurochirurg. Toen Jamie na de operatie terugkwam uit het ziekenhuis, was hij vooral moe en nauwelijks tot lopen in staat. De prognose was goed, zei men; de hersentumor was goedaardig en was verwijderd – maar het herstel zou maanden, zo niet jaren duren. Restverschijnselen konden ze niet uitsluiten en ze konden ook niet garanderen dat het probleem niet terugkwam. Zijn wilde bos rode krullen was Jamie in elk geval kwijt.

De kinderen waren er stil van en als Wendolyn, het zwijgen van haar moeder indachtig, pogingen deed om er met ze over te praten, kwamen er eenlettergrepige antwoorden – terwijl ze toch echt dacht dat er in al die tijd dat ze de kinderen nu kende wel iets van vertrouwen was ontstaan. Eric kreeg er echter niet veel meer uit.

Na de zomer kwam Olga weer. Opnieuw onverwacht.

'Dit kan ik niet,' zei ze huilend, en Wendolyn knikte begripvol. Dat zou zij ook niet kunnen: én zwanger, én moeder van drie kinderen, én verpleegster van een zieke man.

Olga keek wanhopig naar Eric.

'Vind je het erg?'

Eric keek op zijn beurt smekend naar Wendolyn.

'Wat?' vroeg die, verward.

En zo werd besloten dat de kinderen tijdelijk op de Parnassusweg zouden komen wonen. Eén jaar misschien, zo nodig twee. Wendolyn besloot het mee, was erbij en zei welbewust 'ja', in de wetenschap dat er 'ja's' zijn waar je moeilijk onderuit kunt, en die je leven drastisch veranderen. Het eerste jaar van de nieuwe eeuw begon dus zonder de millenniumbug waarvoor iedereen zo bang was, maar met een nieuwe rol voor Wendolyn: ze werd fulltime stiefmoeder. Er waren geen papaweekends meer, maar om de twee weken was er een mamaweekend: dan gingen de kinderen naar Olga. De rest van de tijd verbleven ze bij Eric in huis. Wendolyn keek nog heel even naar de kruisen die ze tot nu toe om de twee weken in haar agenda had gezet en besloot dat ze moeilijk een kruis door een heel jaar kon zetten.

Eric was haar diep dankbaar. Dat liet hij merken en dat vertelde hij Wendolyn keer op keer, soms met een bos bloemen, soms met een innige omhelzing. Zelfs zo vaak dat ze op een gegeven moment ongeduldig zei: 'Het is wel goed, hoor. Het is tenslotte ook mijn keuze.'

'Maar ik vraag al zoveel van je,' zei hij. 'Veel meer dan je weet...' Een cryptische opmerking, die hij verder niet uitlegde.

'Wat bedoel je?' riep ze hem nog na, maar hij was de kamer al weer uit om iets te gaan doen. Vanaf nu was er altijd wel ergens iets te doen.

De kinderen arriveerden na de zomer met al hun kleren en met bijna al hun speelgoed: met knuffels, badmintonrackets en een voetbal, met gameboys en PlayStations en heel veel stiften. Ze kwamen ook met huiswerk en cijferlijsten, afspraken voor verjaardagsfeestjes en afspraken met de tandarts. Jasper zat in de tweede klas van het vwo, had een stem die soms even oversloeg en was al bijna even lang als Wendolyn. Toch vond ze de drie net een stel kleine zwerfkatten toen ze op de stoep stonden van het huis aan de Parnassusweg met hun volle koffers en tassen en vuilniszakken.

'Ach, gos,' zei ze, en ze ging naar de keuken om chips te halen.

Olga nam in tranen afscheid. Ze boog zich over haar dikke buik en bezwoer het drietal keer op keer: 'Ik ben vlakbij, hè? Mama is niet ver weg en jullie kunnen mama altijd bellen en altijd naar mama toe komen...'

85

Jasper omhelsde zijn moeder en zei: 'Flink zijn, mam. Dat moet ook voor Jamie.'

Wendolyn hielp de kinderen om kleren en knuffels enigszins overzichtelijk in kasten te leggen, computers in te pluggen, boeken op boekenplanken te zetten, en posters en tekeningen aan de muur te prikken. De muren van Daniëlles kamer werden een bonte verzameling van eigen werk: opvallend mooie tekeningen van vlinders, vogels en prinsessen in wasco en waterverf, en hier en daar – jawel – een tekening van een skeletje in zwarte ecoline. In haar kast stond een hele stapel kartonnen dozen, waar ze zorgvuldig de graten, botjes en knekels in bewaarde. De dozen roken vaag naar bederf en naar de zee.

Precies één dag zagen de kamers er prachtig uit, opgeruimd en spic en span, maar toen Wendolyn er de volgende dag naar binnen keek, leek het of er in elk van de kamers een bom was ontploft: op vloeren en bedden lagen sokken, lege frisdrankpakjes, wikkels van candybars, T-shirts, losse cd's en dvd's, de hoesjes van die cd's en dvd's, een lekke voetbal, oude Pokémon-plaatjes, onderbroeken en lege batterijen. Ze stond er even sprakeloos naar te kijken en vroeg zich af of dit onder haar verantwoordelijkheid viel. Nee, besloot ze, en ze trok resoluut de slaapkamerdeuren dicht. Ze had tenslotte haar eigen werk en deed al meer dan genoeg; hopelijk zou de hulp in de huishouding er minder van schrikken. En anders ruimde Eric de kinderkamers maar op. Of, nog beter, de kinderen zelf.

Een van de taken die Wendolyn toeviel, was Lisa en Daniëlle van school halen. Hun basisschool was vanaf de Parnassusweg niet te belopen, iedereen vond de meiden te jong om het hele eind te fietsen en geen van de volwassenen leek het een goed idee dat ze door de situatie gedwongen werden om van school te wisselen; dat was niet goed voor een kind.

Hmm, dacht Wendolyn, en ze dacht terug aan de verhuizin-

86

gen in haar eigen jeugd. Die had zij ook overleefd. Toch?

De eerste keer dat ze na de zomervakantie haar stiefdochters van school haalde, zei een van de ouders bij het hek om het schoolplein behulpzaam: 'Kijk, daar staat jullie moeder. Daar links.' Lisa keek en zei vervolgens luid: 'Dat is mijn moeder niet.' Zonder verder iets te zeggen liep ze met Daniëlle aan de hand naar Wendolyns auto, stapte in en deed de gordel om.

'Hoi,' zei Wendolyn, terwijl ze haar rug rechtte en haar schouders optrok. 'Hoe was het?'

Het bleef even stil op de achterbank. Toen mompelde Daniëlle: 'De vis is dood.'

O help, dacht Wendolyn. Weer iets doods. Ze stopte voor een rood verkeerslicht, in een kleine file vol auto's met kinderen op de achterbank.

'Welke vis?'

'De klassenvis.' De juf was vergeten om te regelen dat iemand hem in de zomervakantie mee naar huis nam om ervoor te zorgen.

Wendolyn sloot even haar ogen en stelde zich de vis voor in een stil, leeg klaslokaal, vergeefs wachtend op eten en vol onbegrip stervend van de honger...

'Wat erg,' zei Wendolyn. 'En nu?'

'Juf heeft geld gegeven voor een nieuwe.'

'Wát?' Wendolyn was oprecht geschokt. Een vis was toch geen lege viltstift? In het achteruitkijkspiegeltje zag ze het sombere gezicht van Daniëlle.

'Nou,' zei ze terwijl ze optrok, 'als er dan maar beter voor die nieuwe vis wordt gezorgd.'

Het bleef stil in de auto.

Ouderavonden waren voor de ouders, en het was dus niet waarschijnlijk dat Wendolyn de juf van Daniëlle ooit te spreken zou krijgen, maar was dat per ongeluk wel het geval, dan zou ze zeggen dat kinderen niet alleen op school zaten om sommen te

87

maken, maar dat ze ook zouden moeten leren dat een vis niet een klakkeloos inwisselbaar ding is, geen tamagotchi als het ware, en dat respect voor het leven ook bij de lesstof zou moeten horen. Ach jee... Kijk haar nou: zat ze zich op te winden over een goudvis die ze nooit had gezien en een juf die ze nooit zou spreken. Alsof ze zelf geen lamskoteletjes at, muggen doodsloeg tegen de slaapkamermuur en deze zomer niet een roze plastic tennisracket had gekocht waarmee je wespen kon elektrocuteren. Jasper was er superhandig in.

Ze slaakte een zucht en parkeerde de auto. Ze waren al thuis. Dat wil zeggen, op de Parnassusweg.

Wendolyn haalde Daniëlle en Lisa dus 's middags op uit school, maar 's morgens bracht Eric ze weg. Daardoor kwam hij te laat in het ziekenhuis. Men hield daar echter rekening mee: poli's werden opgeschoven en hij kwam 's avonds gewoon wat later thuis. Waardoor het dus weer heel logisch werd dat Wendolyn kookte. Ze bakte vissticks en hamburgers of schoof pizza's in de oven, want dat was wat ze kon en waar de kinderen niet al te erg over mopperden. Of ze maakte, zoals vanavond, pasta met een kant-en-klare tomatensaus.

Ze opende een pot, kieperde de saus in een schaal en stond afwezig toe te kijken hoe de schaal zijn rondjes draaide in de magnetron. Jasper zou dit eten, want die had tegenwoordig altijd honger en at bijna alles. Lisa zou alleen de saus eten, Daniëlle alleen de pasta. Het was Wendolyn wel best. Ze was niet van plan om ineens keukenprinses te worden, en het was immers maar tijdelijk? Een jaartje? Als ze maar af en toe een appel aten en een glas melk dronken, dan werden die kinderen heus wel groot.

Ze vulde een grote pan met water en stak het gas aan. Gelukkig ging Jasper geheel zelfstandig op de fiets naar zijn school, dacht ze. De wereld van zoekgeraakte handschoenen en van regenkleding die werd afgedaan als achterlijk, van lekke banden, aflopende fietskettingen en kapotte verlichting.

'Hoe kan dat nou weer?' zei Eric dan wanhopig. 'Ik heb hem net bij de fietsenmaker opgehaald!'

'Kweenie,' zei Jasper. Alles gebeurde altijd spontaan en altijd helemaal vanzelf – ja, zelfs die bel viel er uit eigen beweging af.

Terwijl het water begon te koken, viel met een zacht plofje de stroom uit. De magnetron zweeg, overal doofden lampen, het zachte gezoem van de koelkast stierf weg en de rode klokcijfertjes van de oven verdwenen. Omdat het al oktober was, was het buiten bijna donker en het enige licht in de keuken was ineens het flauwe, blauwe licht van het gasbrandertje onder de kokende pan water. De kinderen kwamen er als motten op af.

'Wat gebeurt er?'

'Hoe kan dat?'

Zo was het dus na al die tijd: in zo'n situatie was de stiefmoeder automatisch de baas, degene die wist wat er moest gebeuren. De kinderen zouden op dezelfde manier vragend naar Wendolyn kijken als het dak lekte, als er brand uitbrak of als er werd aangebeld door enge mannen... Misschien kwam daar ooit verandering in, als Jasper niet alleen in de lengte, maar ook in de breedte groeide – dat Wendolyn hém dan als eerste naar de voordeur stuurde als er werd aangebeld door enge mannen.

'Ik heb mijn kauwgom doorgeslikt.'

Dat was Daniëlle.

'Heeft een van jullie cola over een stekkerdoos gegooid?' vroeg Wendolyn.

'Is kauwgom doorslikken erg?'

Lisa liep naar de voordeur, trok die open en riep: 'Alles is uit! Zelfs de straatlantaarns doen het niet.'

Dan hoefde ze in elk geval niet in de gangkast tussen spinnenwebben naar de stoppen te zoeken, dacht Wendolyn, en ze ging in laatjes en keukenkastjes op zoek naar kaarsen.

89

'Wat gebeurt er als je kauwgom hebt doorgeslikt?'

'Brandde er bij de buren ergens licht?' vroeg Wendolyn aan Lisa.

'Dat kon ik niet zien,' zei Lisa. 'Het was te donker.' Ze moest hard lachen om haar eigen grapje. Daniëlle installeerde zich intussen met de afstandsbediening voor de televisie, om verbaasd te constateren dat die het ook niet deed.

'Natuurlijk niet, domme doos,' zei Jasper. 'Niks doet het. En jij moet morgen geopereerd worden.'

'Waarom?'

'Omdat je je kauwgom hebt doorgeslikt!'

'Wennelien? Is dat waar?'

'Welnee. Jasper, jaag je zusje niet zo op stang. Steek jij de houtkachel maar aan.'

Met een verbaasd gezicht staarde hij naar Wendolyn.

'Maar dat kan ik helemaal niet,' zei hij. 'Dat heb ik nog nooit gedaan.'

'Geen man die geen vuurtje stoken kan,' zei Wendolyn, blij met het fenomeen aanmaakblokjes. Jasper lette goed op, want werd graag als 'man' aangesproken, en toen Eric een halfuur later thuiskwam, trof hij het gezin als een kaarsverlicht claire-obscurtafereeltje rond een bordspelletje aan de eettafel bij een brandende houtkachel.

'Knus, hè?' zei Wendolyn meesmuilend.

Eric vertelde dat het ziekenhuis gelukkig buiten het getroffen gebied stond, maar dat de stroomstoring wijdverbreid was en zeker een paar uur zou duren. Dat had hij op de autoradio gehoord.

'Doet die het dan wel?' vroeg Daniëlle.

'We eten patat, hè?' zei Lisa blij. 'Want we kunnen natuurlijk niet koken.'

'Koken is ongeveer het enige wat wél kan,' zei Eric. 'De frituurpan, die doet het niet.'

'O,' zei Lisa teleurgesteld.

'Wat gebeurt er als je kauwgom hebt doorgeslikt?'

'Die poep je wel weer uit.'

De stroomstoring zou uiteindelijk de hele avond duren, maar toen sprong alles weer aan: piepend, flikkerend, zoemend en ratelend. Alleen de koelkast bleef definitief uit.

'Hoe oud is dat ding eigenlijk?' vroeg Wendolyn de volgende morgen terwijl ze met een geërgerde zucht een dweiltje neerlegde omdat er heel langzaam smeltwater uit het vriesvak begon te druppelen.

'Geen idee,' zei Eric. 'Hij was hier al toen ik het huis kocht.'

Voor de zekerheid gooide Wendolyn alles weg wat er in de koelkast stond, behalve de fles witte wijn. Daarna legde ze handdoeken neer: het vriesvak werd al lang niet meer gebruikt omdat er niets meer tussen de in jaren opgebouwde dikke laag ijs paste, en ze vreesde veel smeltwater. Gelukkig was het zaterdag en had Eric geen dienst, dus kon hij mooi op pad om een nieuwe te gaan kopen.

Wendolyn dacht aan de verslagen die ze nog had willen schrijven, stroopte toen toch maar haar mouwen op, trok roze rubber handschoenen aan, zette de koelkastdeur en het klepje van het vriesvak open, en ging met een kop koffie aan de keukentafel zitten wachten. Het ging maar langzaam, alsof het ijs in het vriesvak bestaansrecht ontleende aan het feit dat het al zo oud was. Na tien minuten stond ze ongeduldig op en ging de kleine iglo te lijf met een spatel en een föhn. Daniëlle kwam op het lawaai af en liep nog in pyjama de keuken in.

'Wat doe je?' vroeg ze.

'Het vriesvak ontdooien,' zei Wendolyn verbeten, en ze veegde met een onderarm over haar gezicht. Waarom krijg je altijd jeuk aan je gezicht als je je handen niet kunt gebruiken?

Daniëlle bleef aarzelend staan.

91

'Waarom?'

'Anders staat straks de hele keuken blank.'

'O.'

Er verschoof een groot brok ijs, waar nog een pakje vissticks onder bleek te liggen.

'Gatverdamme,' zei Wendolyn. 'Eric!'

Maar die was al weg, terwijl dit toch echt zijn verantwoordelijkheid was. Of die van de hulp Milly, die tegenwoordig overigens vaker niet dan wel kwam; en als ze kwam, kwam ze dus lang niet overal.

Daniëlle bleef nog even toekijken.

'Ik wil thee,' zei ze.

'Straks. Ga je eerst maar aankleden.'

Er verschoof weer een brok ijs en Wendolyn bikte verder met de spatel.

'Er zit hier nog iets,' zei ze, bij voorbaat gruwelend.

Daniëlle liep zwijgend de keuken uit, dus Wendolyn zei tegen niemand: 'Wat is dit nou?' Het brok ijs dat net had losgelaten hield ze onder de warmwaterkraan en na een paar seconden keek ze verbaasd naar wat er in haar hand overbleef.

'Laat eens zien!' zeiden Jasper en Lisa tegelijkertijd toen Wendolyn met haar vondst in de achterkamer kwam. Ze zaten, ook nog in pyjama, met Daniëlle voor de tv en keken naar MTV.

'Geef eens...'

'Druk eens op ON...'

'Doet-ie het nog?'

'Natuurlijk niet,' zei Wendolyn. 'Dat ding heeft er een paar jaar gelegen...'

Ze herinnerde zich hoe lang ze hadden gezocht naar de gele tamagotchi van Jasper, dat ze het uiteindelijk hadden opgegeven - natuurlijk zonder in het vriesvak te kijken. Dat bedenk je niet. Hoe was het ding daar in godsnaam terechtgekomen?

'Per ongeluk?' opperde Jasper. In zijn wereld was dat helemaal niet onmogelijk.

'Met de patat mee?' zei Lisa, en ze pakte de tamagotchi uit Wendolyns hand.

Alleen Daniëlle zweeg.

Wendolyn keek naar het meisje. Ze probeerden het toch ook met mensen? Hoe heette dat ook alweer? Cryologie? Cryonisme? Had Daniëlle misschien iets op *Klokhuis* gezien, of bij *Willem Wever*? Had ze geprobeerd Jaspers tamagotchi in leven te houden over de grenzen van zijn sterfelijkheid heen? Tot in de eeuwigheid, in het vriesvak?

'Hij leeft!' riep Lisa, terwijl ze op de knopjes drukte.

'Echt? Laat zien!' riep zowel Daniëlle als Jasper.

'Grapje,' zei Lisa.

Daniëlle keek teleurgesteld.

6

Die winter stelde Wendolyn vast dat ze inmiddels vaker op de Parnassusweg was dan in haar flat. Alleen de weekends dat de kinderen naar Olga gingen was het nog logisch om in de flat te slapen; de andere dagen riep het gezinsleven op de Parnassusweg. Ze ontving bovendien minder cliënten in de flat; er was iets in de economie uit elkaar gespat. Een internetbubbel. Ineens was er minder vraag naar duurbetaalde consultants en er waren ook minder grote klussen en minder lucratieve dagvoorzitterschappen. Bizar, want Wendolyn had zelf helemaal niet het idee dat ze in een bubbel had geleefd... Toch zag ze zelfs de gepeste Ellen niet meer. Op zich was dat een succes, want Ellen kon het nu kennelijk alleen. Ze was niet op karate gegaan, maar had wel heel wijs besloten om voor een ander bedrijf te gaan werken, eentje waar haar vader niet de CEO was.

'Je kunt dus ook last hebben van een succesvolle vader,' zei ze tegen Eric.

'Kennelijk,' zei hij glimlachend.

Er waren dus ineens dagen dat Wendolyn vrij had, en omdat hulp Milly inmiddels langdurig ziek was, dreigde Wendolyn op de Parnassusweg een soort Milly te worden. Eric kon alle was, afwas en schoonmaak niet alleen aan, terwijl zíjn werk natuurlijk gewoon doorging: hernia's, MS, ALS en dementie trokken zich niets aan van economische fluctuaties. Met een steeds bezwaarder gemoed verliet Wendolyn dus de Parnassusweg als ze naar een klus of naar haar flat in de stad reed, zich ervan bewust dat ze onopgemaakte bedden achterliet, stapels wasgoed en een afwas die nog in de vaatwasmachine gezet moest worden. Ze merkte geërgerd dat ze het moeilijk vond om er geen last van te hebben.

'Liefste,' zei ze bezorgd toen Eric op een avond uitgeput naast haar op de bank zat. Ze streek hem over zijn grijze haar. 'Zo gaat het niet goed.' Ze zag dat hij was afgevallen en hij had kringen onder zijn ogen.

'Het is maar voor even,' zei hij dapper.

'We moeten een nieuwe Milly hebben.' Ze was echt niet van plan het huishouden hier zelf te doen, dacht ze er grimmig achteraan.

'Ja,' zei Eric.

'Of twee Milly's.'

'Ja.'

'En misschien kunnen de kinderen zelf wat meer doen? Hun eigen fiets naar de fietsenmaker brengen?'

Eric keek haar aan en lachte dit keer een scheef Clooney-lachje. Ook charmant.

'Dan heb ik nog steeds iemand nodig die erop let dat de kinderen doen wat er van ze gevraagd wordt.'

Dat was waar. Wendolyn moest de dag nog meemaken dat Jasper spontaan ging stofzuigen, Lisa boodschappen deed en Daniëlle de afwasmachine uitruimde. Alleen al als Eric vroeg om zoiets simpels als de tafel dekken vroeg Jasper waarom Lisa dat niet deed en Lisa waarom Jasper dat niet deed, en zei Daniëlle: 'Ja, straks', in de hoop dat straks nooit was. Waren alle kinderen zo verwend? Maar grenszoekend en ongehoorzaam gedrag bleek gelukkig ook afhankelijk van wie er iets vroeg: als Wendolyn de kinderen opdroeg om iets te doen, deden ze het meestal wel.

95

Kennelijk had een stiefmoeder daar een voordeel. Een soort stiefmoederbonus. Wendolyn maakte er dankbaar gebruik van.

Tegen de gapende Eric zei ze nu: 'En als ik eens deels op de Parnassusweg ga werken? Ik kan best hier in de voorkamer met cliënten spreken, dan kan ik tussendoor wel even een wasje draaien.' Of ervoor zorgen dat die kinderen van jou zelf de wasmachine leren bedienen, dacht ze, als een echte boze stiefmoeder.

Eric keek haar ongelukkig aan.

'Maar je doet al zoveel,' zei hij.

Ze haalde haar schouders op. Ze was echt niet van plan om veel meer te doen dan af en toe een wasje draaien. Ze haalde de meiden al uit school en kookte regelmatig; zo was het wel genoeg.

Ze stond op en liep naar de voorkamer om er met nieuwe ogen keurend rond te kijken. Het zou best gaan: het hoge plafond gaf de kamer allure, het geluid van het verkeer op de Parnassusweg drong maar heel zacht door de dubbele beglazing heen en ze zou de fruitschaal op de eettafel vervangen door een vaas met verse bloemen. Zo kon het best haar spreekkamer worden. Dat er nu limonadekringen op het tafelblad zaten en dat een van de kinderen een bruin geworden bananenschil had laten liggen, dat leerde ze hun wel af.

Ze pakte de bananenschil tussen duim en wijsvinger, deponeerde hem in de keuken in de vuilnisbak en zag dat Eric op de bank in de achterkamer in slaap was gevallen. Zachtjes maakte ze hem wakker om hem naar bed te sturen.

Cliënten die gewend waren om naar haar flat te komen stuurde ze een verhuisbericht, nieuwe cliënten gaf ze het nieuwe adres en ze verving de rol keukenpapier op de eettafel door een doos tissues.

'Wat woon je hier mooi,' riep een manager met een dreigende

96

burn-out in de richting van de keuken, waar Wendolyn koffie stond te maken. 'Maar is hier achter niet...?'

'Jazeker,' riep ze opgewekt terug, en ze liep met de koffie de voorkamer annex spreekkamer in. Op de trap hoorde ze Elsa bonkend met de stofzuiger in de weer. Elsa was de nieuwe Milly, een kranige meid die een advertentie had opgehangen in de supermarkt.

'Daar heb je vast geen overlast van,' zei de manager, die kennelijk nog steeds over de begraafplaats zat na te denken. 'Dat is vast heel rustig.' Hij keek erbij of hij jaloers was op dat soort rust.

Zodra hij de deur uit was, schoot Wendolyn in haar jas, rende naar de auto om Daniëlle en Lisa op te halen, schoof daarna achter haar computer om een verslagje te typen over de bijna-afgebrande manager, hoorde intussen Jasper thuiskomen, verwisselde de bloemen voor de fruitschaal en de doos tissues voor keukenpapier, en ging toen in de keuken maar weer eens hamburgers bakken.

Soms ging het niet. Dan had Jasper ineens lessen die uitvielen, en dan was hij dus thuis als Wendolyn cliënten ontving. Ook zoiets wat je ontgaat als er geen kinderen in je leven zijn: onverwachte vrije uren, net zoals roze koeken en zure matten. Als Jasper ineens thuis was, werd hij naar boven verbannen. Zonder mopperen liep hij de trap op, maar even later trilde het hoge plafond van de eetkamer-nu-spreekkamer met driehonderd *beats per minute*.

Wendolyn glimlachte naar de cliënt tegenover haar.

'Tja. Kinderen, hè?'

'O ja?' zei de cliënt nieuwsgierig. 'Hoeveel heb je er?'

Wendolyn wist nooit zo goed wat ze daarop moest antwoorden. Geen? Geen echte? Drie halve? Het meest verontrustende was dat ze de vraag een beetje pijnlijk vond. Dat was onverwacht.

Soms liep het ene gesprek uit en arriveerde een volgende cliënt te vroeg. Die vroegkomers parkeerde Wendolyn aanvankelijk in de achterkamer, maar dat ging fout op dagen dat Daniëlle en Lisa ineens thuis waren. Dat was niet te voorkomen: een agenda zat nog niet in hun systeem en briefjes die studiedagen van het schoolpersoneel aankondigden raakten hopeloos verdwaald onderweg van school naar huis, samen met de aankondigingen van schoolreisjes. De meiden lieten zich niet zo makkelijk naar boven verbannen, en het gebeurde een keer dat Wendolyn de volgende cliënt kwam halen en een verbaasde CEO aantrof voor de televisie, waar Daniëlle en Lisa de video *Fantasia* voor hem hadden opgezet. Zelf zaten ze tevreden naast hem aan een pakje Fristi te lurken. Toen besloot Wendolyn de keuken tot wachtkamer te bombarderen. Daardoor was het noodzaak om die min of meer schoon en opgeruimd te houden, maar daar hielp Elsa bij. Elsa ontdooide zelfs af en toe het vriesvak van de koelkast.

En toch zag ze zichzelf soms ineens met een duizenddingendoekje in haar hand, en dan dacht ze verbaasd: hoe is het zover gekomen? Hoe was het mogelijk dat ze nu een leven leidde dat af en toe veel weg had van dat van een huisvrouw op een obscure plek aan de rand van de stad? Ze mocht dan nog zo vaak tegen Eric roepen dat ze er zelf voor had gekozen, dat Elsa een goede hulp was en dat het allemaal maar tijdelijk was, maar soms werd ze er ineens een beetje verdrietig van en nam ze het Eric kwalijk dat hij haar als het ware hierin had meegesleurd. Het gebeurde daarom weleens dat ze dan in de auto sprong en naar de stad reed, uitging zoals vroeger, te veel praatte, dronk en rookte. Maar op een koude winterdag als vandaag bijvoorbeeld, net nu ze ongesteld moest worden en Elsa vakantie had, trok ze nogal chagrijnig een stofzuiger door de voorkamer, en toen ook maar door de achterkamer. Vanonder de bank klonk een spookachtig gegiechel.

Wendolyn stak de stang van de stofzuiger in de donkere spleet en hoorde dat de motor gierde toen ze beethad. Ze trok de harige trol tevoorschijn en plukte hem van de stofzuigermond. De furby sperde zijn bolle kikkerogen wijd open en zei: 'Haaaai.'

Wendolyn zei niets terug, maar zette de trol tussen de kussens van de bank, trok de stekker van de stofzuiger uit het stopcontact en trapte op de knop om het elektriciteitssnoer op te rollen. Terwijl ze wachtte tot het snoer kronkelend in het inwendige van de stofzuiger verdween, keek ze de kamer rond en zag hoe haar hand hier zichtbaar was geworden. Naast de *Journals of Neurology* van Eric stonden er nu naslagwerken over psychologie en management in de kast, en romans. In de tuin stonden vijf tuinstoelen, in de vensterbank een paar planten en een vaas met tulpen.

'Matai!' riep de furby vanaf de bank. Hij had een aan/uitknop, maar Wendolyn wist niet waar die zat. Het liefst zou ze het ding buiten in de kliko gooien, of nog liever over de coniferenhaag in de richting van de begraafplaats, maar ze deed het niet. Hoezeer ze het harige ding met het lelijke plastic snaveltje en de uitpuilende ogen ook verfoeide, ze wist dat het Daniëlles baby was, door Eric aan haar geschonken en, net als indertijd die tamagotchi, bedoeld als alternatief voor de knekels en de knoken toen die weer eens een voor een uit hun kartonnen dozen in de kast werden gehaald.

'Maar hij is lelijk,' had Wendolyn gezegd terwijl ze de furby bekeek. 'Het is bovendien nep op batterijen.'

'Ach,' zei Eric vergoelijkend. 'Ze vindt het toch leuk?'

Uiteindelijk had Wendolyn berustend haar schouders opgehaald. Ze deed er zelf tenslotte net zo hard aan mee. Ook in haar eigen leven liep er inmiddels van alles op stroom: haar telefoon, de elektronische agenda, een elektrische tandenborstel... Het was natuurlijk alleen maar goed dat haar stiefkinderen opgroeiden met computers en robots; dat was de wereld waarin zij zouden leven. Ze moesten vooral op Windows kunnen werken, van

Apple weten en een satellietgestuurde wekker kunnen instellen. Hoe je een brood bakt of een koe melkt, dat was informatie voor hobbyisten en helemaal niet van levensbelang. De wereld was volautomatisch de eenentwintigste eeuw in gerold: kassa's, benzinepompen, speelgoed en tomtoms piepten, blieptjen en spraken je zelfs aan, Wikipedia was een begrip geworden en googelen een werkwoord, mobieltjes werden gemeengoed – zelfs voor kinderen. Ook voor stiefkinderen.

De telefoon ging. Ook die was draadloos, dus ze liep even te zoeken voor ze hem vond. Het was haar vader.

'Ik zie je nooit meer,' zei hij klaaglijk. Zijn stem was het laatste jaar ineens oud en breekbaar geworden. Had hij iets onder de leden?

'Ik ben toch op je verjaardag geweest?' Tweeënzeventig werd hij toen. Dat was helemaal niet zo heel oud.

'Jawel... Ja, dat was leuk.'

Het was helemaal niet leuk geweest. Alice had haar vriendinnen uitgenodigd, die de hele avond de touwtjes in handen hadden. Zodra het in de kamer echt ergens over dreigde te gaan, werden er glazen bijgevuld en nieuwe hapjes uit de keuken gehaald, die vervolgens het onderwerp van gesprek werden.

Met de telefoon aan haar oor zag Wendolyn dat de tulpen in de vensterbank op hun einde liepen: uitgegroeid en bijna uitgebloeid hingen ze aan te lange stelen over de rand van de vaas; een beetje zoals Jasper tegenwoordig zijn lange benen over de leuning van de bank liet hangen. Ze tilde de vaas met één hand op om hem naar de keuken te brengen, en als op afspraak lieten de bloemen onmiddellijk al hun blaadjes vallen. Ze keek naar de grond, mompelde: 'Shit', en vroeg toen door de telefoon aan haar vader waar Alice was.

'Naar een clubje of zo,' zei haar vader vaag, en hij liet een stilte vallen.

'Gaat het wel goed met je, papa?'

'Ja, ja,' zei hij. 'Alleen...'

Wendolyn zette de vaas weer neer en ging op de bank zitten. Misschien voelde hij zich eenzaam? Misschien moest ze hem een beetje afleiden.

'Papa,' zei ze. 'Wat ik op je verjaardag vroeg over de oorlog, hè, op de boerderij. Die kinderen...' Hij had die dag gezegd dat hij zich geen kinderen kon herinneren. Alleen de kinderen uit de buurt, de dorpskinderen.

Door de telefoon hoorde Wendolyn dat de voordeur van haar vaders huis open- en dichtging.

'Weet je zeker dat er toen geen andere kinderen waren?' vroeg ze nog.

'O, daar is Alice al,' zei haar vader. 'Nou, dag dan maar.' Hij hing op en Wendolyn staarde verbaasd naar de zwijgende telefoon. Ik geloof dat ik ermee moet leven dat er in onze familie geen grote verzetsdaden zijn gepleegd, dacht ze terwijl ze de vaas opnieuw oppakte. Of je moest de stiekeme ruilhandel meetellen van haar oma in het kamp. Altijd om eten.

Ze ging opnieuw aan de slag met de stofzuiger om de tulpenblaadjes op te zuigen. Namaakleven had zo z'n voordelen: dat viel niet uit, had geen dorst, poepte niet, verhaarde niet en braakte niet, en er waren geen luizen of vlooien.

'I not like you,' klonk het vanaf de bank.

Wendolyn liep naar de furby toe en legde er een kussen bovenop. Sinds zijn komst naar de Parnassusweg was hij tegen iedereen vrolijk geweest en had hij tegen iedereen gelachen. Als hij zogenaamd werd gevoerd door Daniëlle, liet hij een tevreden boertje, heel schattig. Zelfs met Eric wilde de furby wel spelletjes doen, maar zodra Wendolyn in de buurt kwam, zei hij steevast: 'I not like you.' De kinderen en zelfs Eric moesten daar vreselijk om lachen. Wendolyn niet. Zeker vandaag niet.

Ze bracht de stofzuiger naar de gang en zette hem in de gangkast. Voor ze de kastdeur sloot gaf ze het ding een belonend klopje.

101

'Als jij me maar *liket*,' zei ze, en ze ging achter haar computer zitten. Boven waren er vast nog lege petflesjes en snoeppapiertjes, in de badkamer lagen er natte handdoeken en washandjes op de grond, er zou een tandpastatube zonder dop en een gelpot zonder deksel zijn, maar daar trok ze zich dus niets van aan. Ze deed waarvoor ze was opgeleid: het werk waarmee ze geld verdiende, lof en aanzien oogstte. Het werk waarvan ze hield.

Pas een paar uur later, toen ze tevreden een laatste mailtje verstuurde, liep ze de trap op om in de kinderkamers toch maar de lampen die daar nog brandden uit te doen en te kijken of er niet per ongeluk iets was achtergebleven wat zou kunnen gaan rotten. Komend weekend was een mamaweekend, en de kinderen zouden hier dus pas zondagavond weer zijn.

Ze zakte door haar knieën en vond onder het bed van Jasper inderdaad een plastic zakje met een deel van de lunch die hij vorige week van Eric mee naar voetbal had gekregen. Jasper zat op de plaatselijke voetbalvereniging en er waren regelmatig uitwedstrijden, waarvoor hij door ouders met stationwagens werd opgehaald. Dat ging volgens een door de club vastgesteld rooster, waarop tot schrik van Eric ook de naam van Eric zelf voorkwam. Wendolyn moest lachen toen hij het vertelde, maar hij keek ongelukkig.

'Het is toch maar een paar keer per seizoen?' zei ze troostend.

'Het is verschrikkelijk,' zei hij. Hij voelde er niets voor om tussen fanatiek schreeuwende ouders langs de lijn te staan om te kijken naar voetballers die een uur lang in een kluitje over het veld renden en zich allemaal Zidane waanden.

'En ik hou niet eens van voetbal!'

Jóúw zoon, had Wendolyn koeltjes gedacht, en ze weigerde medelijden te hebben. Medelijden bewaarde ze voor de momenten waarop Eric echt moe was, of de momenten dat hij iets over zijn jeugd vertelde. Sinds de stamboom van Jasper was Eric meer

102

over zijn kindertijd gaan vertellen, en dat waren geen vrolijke verhalen. Zo vertelde hij een keer dat er vroeger nooit iemand naast hem wilde zitten in de klas, omdat ze zeiden dat hij stonk, en daar zorgden ze vervolgens zelf voor: na schooltijd werd hij opgewacht door een groep grote klasgenoten die hem meesleurden en omvergooiden als ze een verse hondendrol op straat zagen liggen. Ook verdwenen er blaadjes met huiswerk, werd er gespuugd in zijn lunchtrommeltje en verschenen er hakenkruizen in zijn schoolboeken.

'Maar de leraren dan? Wat vonden die daarvan?' vroeg Wendolyn voorzichtig.

'Het was een andere tijd,' zei Eric. 'En ik durfde sowieso niks te zeggen. En kwam een leraar er per ongeluk achter, dan zei hij dat hij mijn klasgenoten wel begreep. Of hij keek me meewarig aan.'

'Wat naar,' zei Wendolyn, en ze wenste dat ze meer kon bieden dan een omhelzing om het eenzame jongetje van toen te troosten. 'Wat moet je je alleen hebben gevoeld.'

'Ja,' zei Eric. Hij had Wendolyn lang aangekeken, zijn ogen smekend om begrip. Ze kuste hem en constateerde dat hij verrukkelijk rook.

'Knap, eigenlijk,' zei ze.

'Wat?'

'Dat dat droevige jongetje van toen het heeft klaargespeeld om zo'n leuke man te worden. En specialist. Voor hetzelfde geld was je alcoholist geworden.'

Eric had zijn leuke lach gelachen.

'Of junk,' zei hij, en hij legde zijn zachte handen om haar nek.

'Crimineel?'

'Pooier.'

'Ga je mee naar bed?'

'Graag.'

103

Wendolyn ging verder op de kamer van Lisa, waar ze alleen een eenzame roze sok onder het bed trof. Op de kamer van Daniëlle was de hele vloer bezaaid met verftubes en kleurpotloden. Onder het bed van de jongste lag in de verste hoek een zwartgrijze vuilniszak, die Wendolyn tevoorschijn trok en opende. Er kwam een lucht uit van natte aarde en rottend blad.

'O, bah,' zei ze. Ze zag een vieswitte bal op de bodem van de zak. Haar vingers sloten zich eromheen en schrokken van het materiaal, dat niet het verwachte zachte rubber van een bal was, maar hard en koud. Ze trok het ding omhoog en liet het toen op de grond vallen, terwijl haar een kreet van schrik ontsnapte. Door de bons schoot er een kies los, die over de laminaatvloer wegstuiterde.

Het kwam misschien doordat hij arts was dat Eric er zo rustig onder bleef toen hij thuiskwam. Zijn gezicht stond ernstig, maar niet overdreven geschrokken, terwijl Wendolyn nog steeds zat te bibberen op de bank. Hij schonk een glas cognac voor haar in, dat ze met twee handen moest vasthouden om te voorkomen dat het tegen haar tanden klapperde, en ging toen in de voorkamer Olga bellen. De kinderen waren bij haar, maar kennelijk vond Olga een plek waar ze ongestoord kon praten.

'Nee,' zei Eric, terwijl hij nog eens in de vuilniszak keek. 'Nee, het is een oude.' Tot Wendolyns afgrijzen trok hij de schedel met één hand uit de vuilniszak omhoog en zette hem voor zich op de tafel. Er was geen onderkaak, in de bovenkaak zaten nog tanden en kiezen – behalve die ene die er zojuist uit gevallen was.

'Ja, natuurlijk moeten we er met haar over praten...' zei Eric, en daarna: 'Nou, hij staat nu hier, dus ze kan hem helemaal niet mee naar schoo–'

'Ja, natuurlijk maak ik me ook zor–'

'Dat weet ik toch oo–'

'Het is vooral jouw –'

Het was even stil terwijl hij naar Olga luisterde. Wendolyn zei vanuit de achterkamer: 'Ze moet naar een psycholoog. Ik ken een heel goede ontwikkelingspsycholoog.'

'Wendolyn zegt dat...' zei Eric.

'Ja, natuurlijk denkt die mee.'

'Nee, dat doet ze helemaal niet.'

Het ging haar nog steeds niets aan, dat was duidelijk. Ze was goed genoeg om voor de kinderen te koken, hun was te doen en soms hun klerezooi op te ruimen – maar na tweeënhalf jaar nog steeds niet goed genoeg om zich er echt mee te bemoeien. Ze nam nog een slok cognac en kroop mokkend in een hoek van de bank. Wie had dat enge ding nou eigenlijk gevonden?

'Ja, dat zou natuurlijk kunnen,' hoorde ze Eric zeggen. 'Dat ze op die begraafpl–'

De begraafplaats! Natuurlijk, daar moesten ze heen; ze moesten daar vragen of... Of wat? Of ze daar onlangs een schedel waren kwijtgeraakt? Of dat ze toevallig schedels hadden uitgedeeld aan kleine meisjes? Misschien weleens een meisje in een graf hadden zien wroeten?

'Denk jij nou echt dat Daniëlle daar heeft staan graven?' zei Eric door de telefoon. 'Dat zou ze niet eens kunnen, al zou ze willen. Ze is acht, maar –'

Als het haar dochter was, dacht Wendolyn, dan zou ze het heel anders doen. Als het haar dochter was, dan zou dit niet gebeuren. Als het haar dochter was, dan... Maar het was haar dochter niet. Ze stond op terwijl Eric nog aan de telefoon zat en ging door de keukendeur naar buiten, de achtertuin in. Terwijl ze een sigaret opstak keek ze speurend rond, maar het was al veel te donker. Ze zou bij daglicht moeten kijken of er inderdaad een gat in de coniferenhaag zat, zoals ze ineens vermoedde. Daniëlle speelde immers vaak buiten... Kon ze vanuit de tuin op de begraafplaats komen? Wendolyn huiverde, want ze had geen jas aan en het was bitterkoud. Ze maakte de sigaret dus maar uit en ging weer naar binnen, waar Eric nog steeds zat te telefoneren. Ze hoorde dat hij met Olga overeenkwam dat ze Daniëlle samen zouden confronteren met wat ze hadden gevonden. Dit was ernstig genoeg; het ging beide ouders aan. Daarna kregen ze echter ruzie over het tijdstip van dat gesprek, waarbij Eric Olga verweet dat ze zoals altijd geen rekening hield met zijn schema, en Olga Eric voor de voeten wierp dat hij zoals altijd niet besefte dat zij ook een agenda had. Uiteindelijk kwamen ze zondagmiddag overeen, bij Olga thuis. Konden ze daarna meteen de kinderen mee terug nemen naar de Parnassusweg, dat scheelde Olga weer een ritje.

Toen hij het gesprek had beëindigd, deed Eric de schedel weer in de vuilniszak en haalde Wendolyn een vaatdoekje uit de keuken om de tafel schoon te maken met een scheutje chloor. Je wist immers maar nooit, en ze aten ook aan deze tafel.

Die avond vreeën ze, als het ware om een gevoel van leven tegenover de dood te zetten.

De volgende dag belde Eric met de mensen die over de begraafplaats gingen. 'Ab-so-luut on-mo-ge-lijk,' zei de beheerder. Hij wist niet waar de schedel vandaan kwam, maar van zijn begraafplaats kwam hij in elk geval niet. Of Eric wel zeker wist dat het een echte schedel was? Ja, dat wist Eric zeker. Of Eric wel zeker wist dat het een ménsenschedel was? Ja, ook dat wist Eric zeker. Waarschijnlijk voelden ze zich allebei een beetje in hun beroepseer aangetast.

Zondagmiddag wilde Wendolyn mee naar het overleg met Olga. Op de een of andere manier vond ze dat ze daar recht op had. Ze ging dus voor het eerst naar het huis waar Eric vroeger had gewoond. Het leek haar raar voor hem om daar te komen; hier had hij immers lief en leed gedeeld, hier had hij zijn kinderen gekregen, hier lag een vloerbedekking die vast mede door hem was uitgekozen.

Daniëlle keek blij toen haar vader voor de deur stond en daarna keek ze een beetje verbaasd naar Wendolyn. Die hoorde niet in deze wereld. De uitdrukking op haar gezichtje veranderde opnieuw toen ze begreep dat papa, mama en Wendolyn met haar wilden práten.

Ze gingen aan een eettafel zitten. Lisa en Jasper zaten ergens in huis televisie te kijken, Jamie was er niet en uit een babyfoon in de hoek van de kamer klonk een geruststellend, zacht geruis. Olga was in november bevallen van een dochter, Annabel. Jamie scheen zo blij te zijn geweest dat hij dagenlang letterlijk sprakeloos was.

Eric schraapte zijn keel en keek Daniëlle ernstig aan. Dat ze iets onder haar bed hadden gevonden, begon hij.

Daniëlle keek betrapt.

'Ja,' zei Olga, alsof zij ook echt een deel was geweest van het 'wij'. 'En daar zijn we erg van geschrokken.'

Daniëlle zweeg.

Waar of dat ding vandaan kwam, vroeg Eric. Van wie hij was, vroeg Olga. Of iemand hem had gegeven of dat Daniëlle hem ergens had gevonden, of hij van de begraafplaats op de Parnassusweg kwam en wat ze ermee wilde gaan doen?

Daniëlle keek van Eric naar Olga, van Olga naar Eric, en begon te huilen.

Wendolyn keek zwijgend toe.

'Ja, dat krijg je er nou van,' zei Olga tegen Eric, terwijl zij toch volgens hem degene was die er een ondervraging van maakte. Vervolgens zei Olga dat er echt niets uit zou komen als Eric Daniëlle bang maakte, waarop Eric zei dat hij dat niet deed, waarop Olga zei: 'Nee, precies, jij doet het niet, jij deed nooit wat, weet je nog?'

Wendolyn keek door het huiskamerraam naar buiten en wilde dat ze ergens anders was. Waarom had ze erop gestaan om mee te gaan?

'Olga, alsjeblieft,' zei Eric. 'We zijn hier vanwege Daniëlle...'

107

'Ja, en nu gaat het toch weer over jou.'

Daniëlle zelf bleef intussen hardnekkig zwijgen – dreigen, smeken noch flemen hielp.

'Ik denk dat we naar de begraafplaats moeten,' zei Wendolyn zachtjes.

'Of dat we op school moeten rondvragen,' zei Eric.

O ja... Dat kon natuurlijk ook: dat er in Daniëlles klas een zoontje zat van een bioloog. Of een dochtertje van een patholoog-anatoom. Misschien had Daniëlle iets gekregen, of gekocht van haar zakgeld. Meisje van het binnenste buiten...

Toen ze even later met de kinderen thuiskwamen, vroeg Wendolyn Eric nog gauw even waar 'het ding' nu was. Ze wilde niet op een ochtend met een slaperig hoofd een mensenschedel tegenkomen op een plek en een moment waarop ze er niet op verdacht was, bijvoorbeeld in de kledingkast in de slaapkamer of in de gangkast onder de trap.

'Hij ligt in de gangkast onder de trap,' zei Eric. 'Veilig in de vuilniszak in een kartonnen doos in een vuilniszak.'

'Oké,' zei Wendolyn, en ze kon niet voorkomen dat ze toch nog even dacht aan de hij of de zij die de schedel was geweest en die nu in een vuilniszak in een doos in een vuilniszak in een gangkast stond – iemand die ooit had gedroomd en gehoopt en geweten en gewenst... Het was haar niet bekend of de schedel van een man of een vrouw was, dus wist ze niet of ze te maken hadden met een broer of vader, of met een zus of moeder. Zeker was alleen dat het een zoon of een dochter was; dat je kind bent van iemand is het enige wat vaststaat zodra je bent geboren. De rest staat in de sterren.

Die nacht kon Wendolyn niet slapen. Een schedel in de gangkast... Ze draaide zich op haar zij. Wat liet zij eigenlijk na? Een gepubliceerd artikel met Tien Tips voor Teambuilding? Tevreden cliënten, die zich haar nog lang herinnerden, maar uiteinde-

108

lijk ook zouden vergeten, zouden sterven... Ze draaide zich op haar andere zij. Wat bleef er van háár over? Wie zette er later een foto van háár in een zilveren lijstje in een hoekje van de kamer?

Eric snurkte zacht.

De afspraak was nu dat Olga op school voorzichtig zou informeren naar de schedel en dat Eric en Wendolyn de begraafplaats voor hun rekening zouden nemen. Algauw bleek dat Olga op school niets wijzer werd: Daniëlles juf keek zo verschrikt na het verhaal dat Olga maar gauw had gelogen dat ze nog niet zeker wisten of het wel een echte schedel was. Waarschijnlijk niet – haha.

Intussen ging Wendolyn in de achtertuin op zoek naar een gat. Het was nog volop winter: het enige groen in de tuin was het donkergroen van de coniferenhaag. Ze herinnerde zich haar moeders borders in deze tijd van het jaar: sneeuwklokjes, helleborussen en winterakonieten. Feestelijk wit en geel. Hier waren er alleen maar zwarte takken van de oude bomen op de begraafplaats, die boven de coniferen uitstaken met knoppen vol beloftes, de blaadjes binnenin opgevouwen als kleren in een te volle vakantiekoffer. Beuken, kastanjebomen, berken...

Pas toen ze door haar knieën zakte, vond Wendolyn wat ze zocht: links in de hoek was er een kleine opening in de haag. Een holletje, dat best doorgang kon bieden aan een kind. Zo had Daniëlle dus, wanneer ze maar wilde, rechtstreeks vanuit de tuin de begraafplaats op kunnen komen.

Ze riep Eric.

'Maar er staat toch ook nog wel een hek?' vroeg Eric fronsend terwijl hij takken opzij boog en tuurde. Wendolyn kroop op handen en voeten een stukje de coniferen in, om vanuit de donkere haag triomfantelijk te roepen: 'Ja! Het hek is hier kapot! Er zit een gat in.' Toen ze weer tevoorschijn kwam, haar handen aan haar broek afveegde en daarna gruwelend dingen uit haar haar plukte waarvan ze niet zeker wist of het takjes of beestjes waren, zag ze dat Eric helemaal niet triomfantelijk keek. Hij keek zorgelijk.

Omdat het nogal wat opzien zou baren als er ineens twee mensen door een gat in het hek de begraafplaats op zouden kruipen, liepen Eric en Wendolyn zaterdagmorgen buitenom, langs het hele terrein naar de ingang aan de andere kant. Het was wel tien minuten lopen.

'Ligt er hier eigenlijk een bekende van jou?' vroeg ze aan Eric.

'Een paar oud-collega's,' zei hij, 'en wat kennissen.' Geen familie, als ze dat bedoelde.

En vast ook wel een paar patiënten, dacht Wendolyn. Je houdt ze nu eenmaal niet allemaal in leven.

Ze vertelde dat er hier 'van haar' een docent van de universiteit lag, en een veel te jong gestorven vriendin. Nee, niet haar moeder; die was gecremeerd.

De hoge smeedijzeren hekken voor de ingang van de begraafplaats stonden wijd en uitnodigend open. Ze liepen niet meteen naar de receptie, maar eerst onder de grote bomen door over de paden langs aula's, graven en de urnenmuur. Het was niet druk; slechts een paar mensen waren bezig om bloemen in vazen te verversen, een vrouw zat kleumend op een bankje en twee mannen plantten een struikje op een graf. Het struikje was een camelia, vol dikke, groene knoppen. Was het Wendolyn gevraagd en had ze er bewust over nagedacht, dan had ze dat niet geweten. Het woord plopte uit haar onbewuste naar boven: camelia. Dat was kennis van haar moeder; die had zowel moestuinen als bloementuinen zorgvuldig ingericht. De bloementuinen helemaal volgens de richtlijnen van Mien Ruys. Het was nogal droevig dat ze zo vaak waren verhuisd, maar haar moeder had zich niet uit het veld laten slaan en was in elke volgende woonplaats gewoon een nieuwe tuin begonnen, met tomaten en prei, met campanula en euphorbia en wat al niet...

Het cellofaan van een boeket waaide zacht fluisterend langs hen heen over het pad tussen de graven en werd even verderop opgeraapt door een lange, slungelige jongen, die het in de broekzak van zijn groene overall propte. Hij had een schoffel bij zich – hij zou hier wel werken.

Al lopend wezen Eric en Wendolyn elkaar op namen op de stenen en rekenden aan de hand van de jaartallen leeftijden uit, zoals mensen dat op begraafplaatsen doen. Ach, zo jong, en tjee, wat oud. Sommige graven waren verwaarloosd of verstilde monumentjes; andere waren versierd als kermisattracties, met heideplantjes, struikjes, engeltjes, sterretjes, strikjes, waxinelichtjes, vogeltjes, vazen, vlinders en vaantjes. Wendolyn kon zich ineens voorstellen dat er hier voor een klein meisjes heel wat te beleven was, al ging het over de dood. Een plastic windmolentje draaide vrolijk en kleurrijk in de wind.

'Waar is de as van je moeder verstrooid?' onderbrak Eric Wendolyns gedachten toen ze langs het strooiveld liepen, en hij pakte haar hand.

'Op zee. Of nou ja, op zee... Het Marsdiep.' Ze vertelde hem over de dag dat haar vader en zij de urn mochten ophalen, een maand na de crematie. Al die tijd hadden ze thuis in kasten en bureaulades gezocht naar een laatste wilsbeschikking, een testament of eventueel een simpel briefje, waarin haar moeder iets losliet over wat ze had gewild, maar ze vonden niets. Er was alleen een stapel schriftjes, van kaft tot kaft volgeschreven in haar moeders pietepeuterige, nauwelijks leesbare handschrift. Dat handschrift was een erfenis uit de jappenkamptijd, toen papier schaars was en Wendolyns moeder toch een dagboek had willen bijhouden. Ze deed dat eerst in een opschrijfboekje, maar toen dat vol was op allerhande losse blaadjes waarop ook nog maar enige blanco ruimte was, en zelfs op velletjes wc-papier als dat voorhanden was. Ze leerde steeds kleinere lettertjes te maken.

Het dagboek had Wendolyn nooit gelezen, omdat haar moe-

111

der het vlak voor haar zelfgekozen dood verbrand had. Er waren alleen nog die schriftjes van een latere datum, met voor zover ze ze kon ontcijferen plantaanwijzingen waarmee Wendolyn niets zou doen, en recepten waarmee ze niets kon. De recepten stonden vol 'mespuntjes' zus en 'scheutjes' zo, en ingrediënten die ze niet kende: laos, koenjit en djeroek poeroet. Om tot een enigszins acceptabel resultaat in de keuken te komen, had Wendolyn duidelijker recepten nodig. Maten moest ze hebben, gewichten, Nederlandse namen en vooral een duidelijker handschrift.

Haar vader stopte de schriftjes in een bureaula, waar ze zouden vergelen en wachten op de dag dat ze werden weggegooid, als er niemand meer was die wist wat ze vertegenwoordigden en niemand zich er meer om bekommerde.

Toen Wendolyn en haar vader hun zoektocht naar een laatste wilsbeschikking eindelijk staakten, was Wendolyns vader op een stoel in elkaar gezakt. Hij wreef in zijn ogen.

'Ze liet zo weinig los,' zei hij toen Wendolyn een troostende arm om zijn schouders legde, en eigenlijk besefte ze toen pas dat niet alleen zij als dochter last had gehad van het zwijgen van haar moeder, maar dat het ook voor haar echtgenoot moeilijk moest zijn geweest. De stilte had zich niet beperkt tot het verleden: ook over het heden hield haar moeder haar mond. Zelfs haar eigen man had maar al te vaak moeten gissen naar wat er in haar omging.

Op een maandagmorgen in oktober waren Wendolyn en haar vader naar Den Helder gereden. Ze namen de boot naar Texel, in de hoop dat er op zo'n herfstige ochtend na het weekend weinig passagiers zouden zijn, en toen ze dachten dat er niemand keek, kieperden ze de urn leeg in het Marsdiep. Er doken meeuwen naar de as, in de hoop dat er iets eetbaars overboord ging.

'We hadden bedacht dat mama nu zou kunnen kiezen,' zei ze tegen Eric. 'Hier blijven of op een zeestroom meedrijven naar haar geboorteland aan de andere kant van de wereld.'

112

Eric keek al lopend opzij.

'Geloof je dat?'

'Ja. Nee. Ach, je weet toch hoe het is. Soms wíl je ergens in geloven. Dat je helemaal niet katholiek bent, maar dat je wel in elke katholieke kerk kaarsjes aansteekt voor de mensen die je mist. Toch?'

Ze liet Erics hand los, want ze waren nu vlak bij hun huis; ze keken naar de achterkant van hun eigen coniferen. Het hek tussen de tuin en de begraafplaats konden ze vanaf hier niet zien, en dus ook niet dat het kapot was; er stonden aan deze kant dichte struiken voor, met lange stekels, waaraan Eric lelijk zijn vinger openhaalde toen hij probeerde takken opzij te buigen. Er liep tussen de struiken maar een heel smal paadje. Breed genoeg voor een klein meisje?

Ze draaiden zich maar weer om en liepen langzaam terug. Eric vouwde een zakdoek om zijn vinger.

'En jouw ouders?' vroeg Wendolyn.

'Die zijn begraven in mijn geboortedorp. Maar dat graf bestaat niet meer.'

Er was niemand geweest die hen had willen onthouden. Niet Eric, niet de rest van het dorp.

'Ik wil trouwens ook gecremeerd worden,' zei Wendolyn. 'Om over iets vrolijkers te beginnen... Dan weet je dat vast. Maar je hoeft me niet in het Marsdiep te strooien. Gooi mijn as maar ergens bij jou in de buurt.' Glimlachend liet ze haar hand weer in de zijne glijden.

'Ik wil begraven worden,' zei Eric. 'Hier. Dan kunnen jullie nog eens langskomen.'

'Dat mag je dan maar hopen,' zei Wendolyn. Ze lachte. 'Kun je ook even laten weten welke kleur bloemen je wilt? En welke muziek?'

'Witte bloemen,' zei Eric meteen, onverwacht serieus, 'en "Ingemisco" van Verdi.'

113

'Dat klinkt katholiek,' zei Wendolyn verbaasd. 'Jij hebt toch niets met de kerk?'

'Ik vind dat mooie muziek,' zei hij, en hij klonk vastbesloten. Ze waren weer bij de receptie en gingen hand in hand naar binnen.

Achter een ontvangstbalie troffen ze een man die koffie zat te drinken. Het was een andere man dan degene die Eric aan de telefoon had gehad, bleek toen ze hem aanspraken. Toch zei ook deze toen hij hun verhaal had aangehoord: 'En die schedel zou van deze begraafplaats komen? Dat kan niet. Dat is onmogelijk.'

Hij had weinig haar, had diepe groeven naast zijn mond en kleine ogen, waarvan de buitenste hoeken naar beneden hingen. Ongetwijfeld werd hij ook ingezet om uitvaarten te begeleiden, linten te schikken, de aanwezigen welkom te heten en voor de kist uit te lopen op weg naar de laatste rustplaats, dacht Wendolyn. Zo niet, dan zouden ze dat moeten doen; hij had er precies het goede gezicht voor. Ze zette hem in gedachten een hoge zwarte hoed op. Het stond hem goed.

'Ik snap dat het in principe niet kan,' zei ze, 'maar... Er hoort natuurlijk ook geen gat in jullie omheining te zitten.'

De man schrok.

'Wat? Waar?' zei hij. 'Dat zou toch sinds...' Hij dacht even na, zei toen: 'Enfin...', en vroeg of ze hem wilden wijzen waar het hek kapot was.

Toen hij zijn jas aantrok, stokten zijn bewegingen ineens.

'Jullie zijn toch niet van de pers, hè?' zei hij. Daar moesten Eric en Wendolyn een beetje om lachen. Nee, van de pers waren ze niet.

Met z'n drieën liepen ze weer het hele terrein over, in de richting van hun huis.

'Daar,' zei Eric toen ze er waren, en hij wees naar de plek waar het gat in het hek zich ongeveer moest bevinden. De man van de begraafplaats bukte zich en tuurde in de struiken. Hij zag vanaf

114

hier geen gat, maar geloofde hen en beloofde dat er nog deze week iets aan gedaan zou worden. Toen hij weer overeind kwam, keek hij naar het grote huis achter de stekelige struiken en de coniferen. Er stond een raam open op de eerste verdieping.

'Daar wonen wij,' zei Wendolyn.

Dat vond de man een prettig idee, omdat het huis lang had leeggestaan, en leegstand maar al te vaak leidt tot ongewenst bezoek.

'Enfin,' zei hij weer en ze begonnen terug te lopen.

Geweldig, dacht Wendolyn. Een begraafplaatsbeheerder met als stopwoordje 'enfin'. Zo verzin je ze niet.

'Het kan dus zijn dat onze dochter op de begraafplaats wist te komen en dat ze hier heeft gespeeld,' zei Eric, 'maar kan het ook zijn dat ze daarbij een schedel is tegengekomen?'

Ónze dochter, dacht Wendolyn.

Enigszins in zijn wiek geschoten gaf de begraafplaatsbeheerder uitleg over de gang van zaken op zijn terrein. Waar hij eigenlijk over sprak was natuurlijk het ruimen van graven en knekelputten – maar in zijn taal ging het over aflopende grafrechten en verzamelgraven. Het graafwerk was grotendeels uitbesteed, zei hij, aan een gerenommeerd bedrijf dat dat werk met de kleinste machientjes en de grootste piëteit en precisie deed. Daar stak hij zijn hand voor in het vuur.

Ze kwamen opnieuw de lange slungel met de schoffel en de groene overall tegen. Met een blik op hem zei Wendolyn: 'Er is hier natuurlijk altijd onderhoud. Ook op zaterdag.'

De beheerder glimlachte.

'Dat is Bertje,' zei hij. Bertje was hier vanuit de sociale werkplaats. Hij woonde vlakbij, en ze konden hem maar niet duidelijk maken dat hij op zaterdag en zondag niet hoefde te komen. Het concept 'weekend' ging hem boven de pet. Ze lieten hem zijn gang maar een beetje gaan, hun Bertje.

Toen hij hen passeerde, hoorden ze dat Bertje piepte. Abrupt stond hij stil, grabbelde in de zak van zijn overall en diepte daar een tamagotchi op. Hij tuurde enigszins loensend naar het schermpje, mompelde wat en drukte toen op de knopjes. Wendolyn dacht niet dat Bertje veel benul had van wat hij deed, maar het piepen stopte en hij stak met een tevreden gezicht het roze plastic ding terug in zijn broekzak.

Weer thuis liet Wendolyn haar gedachten over haar netwerk gaan. Er zaten een paar journalisten tussen, ook twee van de regionale krant, en een van hen belde ze op. De kennis bleek langs de lijn te staan van een voetbalveld: ze hoorde aanmoedigingen en schril gefluit. Zijn zoon was keeper, zei de man trots. Misschien van het elftal waarin Jasper ook speelde, dacht Wendolyn. Misschien stond hij op dit moment ook wel naar hun Jasper te kijken. Hún Jasper... Misschien moest ze zelf ook een keer een kijkje gaan nemen, dacht ze met een vaag schuldgevoel. Ze wilde toch zo graag betrokken worden bij zoiets als Daniëlle en die schedel? Dan hoorde je natuurlijk ook interesse te tonen in de sportactiviteiten van je stiefzoon.

'Heeft jouw krant weleens iets over de begraafplaats aan de Parnassusweg geschreven?' vroeg ze. 'Over vandalisme of zoiets?'

Nee, dat dacht de kennis niet. Niet de laatste tijd. Een jaar of wat geleden had zich wel iets voorgedaan; hij herinnerde zich dat er toen 's nachts ongewenst bezoek was geweest. Er waren zerken beschadigd en er was graffiti gespoten – ze kende die toestanden wel. Hakenkruizen en Jodensterren.

Het scheidsrechtersfluitje snerpte en er werd gejuicht.

'O, shit. Hij laat hem door...' zei Wendolyns kennis. Toen vervolgde hij peinzend: 'Over voetbal gesproken...' Er deed indertijd een hardnekkig gerucht de ronde dat er was gevoetbald op de begraafplaats. Met schedels, welteverstaan. Maar dat was natuurlijk altijd tegengesproken door de beheerders van de begraafplaats en dat hadden ze op de krant nooit hard kunnen maken.

In haar verbeelding zag Wendolyn een schedel met een slecht gemikt schot in de struiken achter hun huis belanden en daar jaren blijven liggen – tot een klein, nieuwsgierig meisje hem vond.

'Hoezo?' vroeg de kennis. 'Heb je iets voor me?'

Nee, dat had Wendolyn niet. Maar toch bedankt. En succes met de wedstrijd.

Ze vertelde Eric wat ze had gehoord.

'Dat was natuurlijk in de tijd dat dit huis leegstond,' zei Eric nadenkend. 'Voordat wij hier kwamen wonen. Misschien zijn er toen vandalen hier in de tuin geweest en hebben die dat gat in het hek gemaakt. Ik snap wel dat de beheerder blij is dat wij hier nu wonen.'

7

Een paar maanden later zat Wendolyn eindelijk weer eens met Heleen op een terrasje van een lunchroom. Ze koesterden zich in de aprilzon, aan hun voeten grote tassen met de aankopen die ze hadden gedaan: schoenen en jurken en mantelpakjes voor het werk.

Toen Wendolyn het hele verhaal over de schedel had verteld, zei Heleen nuchter: 'Misschien zijn jullie degenen die het zwaar maken. Misschien is voor dat meisje een botje gewoon een botje, en een muizenschedeltje gewoon een muizenschedeltje. *Part of life.*'

'Maar een ménsenschedel!' riep Wendolyn uit.

Heleen haalde haar schouders op.

'Zelfs die is voor haar waarschijnlijk gewoon een interessant object. Misschien koppelt ze zo'n schedel nog helemaal niet aan levende mensen die dood kunnen gaan. Of ze lijkt op haar vader en gaat later medicijnen studeren.' Heleen lachte.

'O, nee,' zei Wendolyn. 'Ze lijkt helemaal niet op haar vader. Ze is niet zo studieus.'

Toen het de weken daarna echt warm werd en de zomer weer naderde, vroeg ze aan Eric: 'En wat gebeurt er nu? Voor je het weet is het alweer grote vakantie.'

Tot haar verbazing keek hij naar de grond.

'Olga heeft het nog hartstikke druk met de kleine,' zei hij tegen zijn schoenen. 'En na de vakantie gaat Lisa ook naar de middelbare school.'

'Ja? Dus?'

'Olga zegt dat we misschien nog even moeten wachten tot Daniëlle ook naar een andere school gaat. Na volgend jaar. Dus.'

'Wendolyn zegt dat Olga nogal met zichzelf bezig is,' snauwde Wendolyn, en Eric keek haar ongelukkig aan. Hij stak een hand naar haar uit, maar ze liep van hem weg en ging in de tuin staan roken.

Toen de zomervakantie daadwerkelijk aanbrak, vertrok Eric op aanraden van Wendolyn met de kinderen een paar weken naar een Club Med in Frankrijk. Wendolyn ging niet mee.

'Nee,' zei ze. 'Ik wil ook even vakantie.'

'Van mij?' vroeg Eric geschrokken.

'Nee. Maar wel van je kinderen.'

Want dat mocht een stiefmoeder.

Na die vakantie in Frankrijk brachten de kinderen nog een paar weken door met hun moeder, Jamie en de kleine Annabel; Eric en Wendolyn hadden toen dus nog even tijd samen. Ze gingen naar een huisje op Vlieland, waar het de hele week regende, maar waar ze, ondanks of dankzij die regen, weer tijd vonden voor elkaar.

De eerste avond stond Wendolyn in het minuscule badkamertje, waar Eric al twee keer zijn hoofd had gestoten, en keek verschrikt in de toilettas. Ze zag tandpasta, deodorant en een borstel... shit. Pil vergeten. Ze gooide de toilettas leeg. Scheerschuim, schaartje, nagelvijl, paracetamol, pleisters... Geen pil. Ze moest vandaag aan een nieuw stripje beginnen en dat stripje zat dus nog keurig in het doosje in het medicijnkastje op de Parnassusweg. Of in dat in haar flat.

Ze zei niets toen ze de slaapkamer in liep, en zelfs niet toen ze met Eric vrijde. Maar toen ze daarna met haar neus tegen zijn

119

borst lag, voelde ze zich schuldig en vertelde het dus toch maar. Goeie kans immers dat hij een receptenblokje bij zich had en morgen even een recept kon uitschrijven? Desnoods voor de morning-afterpil.

Eric reageerde echter uiterst laconiek.

'Zo'n vaart loopt dat niet,' zei hij, en nee, een receptenblokje had hij niet bij zich. Toen hij de volgende dag boodschappen deed, nam hij niet eens condooms mee, en de rest van de week liet hij zich nergens door weerhouden.

Die week dacht Wendolyn heel soms: misschien zijn we nu met z'n drieën. Als ze natte wandelingen maakten over het strand bijvoorbeeld, of voor het warme haardvuur de dikke zomerweekbladen zaten te lezen. Eén keer kwam het zelfs in haar op dat Eric misschien wel dacht dat hij gemakkelijk een eventuele abortus kon regelen, en daarom zo laconiek was. Ze lag toen op haar rug in het bed met een hand op haar buik en staarde met wijd open ogen naar het donker van de slaapkamer.

De pil. Vergeten. Helemaal per ongeluk.

HAHAHAHAHA, krijste een meeuw in de nachtelijke hemel.

Na vier weken, toen ze allang weer thuis waren, werd ze gewoon ongesteld, maar toen ze na die zomer weer tussen ouders op het schoolplein op de bel stond te wachten, op het oog net een moeder, nu alleen om Daniëlle op te halen, en toen de schooldeuren opengingen en de kinderen met hun kleurige jassen en dassen en tassen naar de volwassenen om Wendolyn heen renden, zich aan benen vastklampten en handjes omhoogstaken, blije gezichtjes ophieven voor een zoen – toen stelde ze zich ineens een klein meisje voor dat zoekend rondkeek en blij lachte zodra ze Wendolyn herkende. Mama!

Ze schrok van de gedachte; hij verbaasde en verwarde haar. Ze snapte niet waar dit gevoel nou ineens vandaan kwam en ze sprak er met niemand over.

De flat in de stad werd langzamerhand in plaats van een bevrijdend pied-à-terre een nogal duur blok aan het been. Ze waren er te weinig, en Wendolyns accountant waarschuwde bovendien dat de stijging van de huizenprijzen niet eeuwig zou duren, al beweerden makelaars van wel.

'Het is net zo'n zeepbel als die internetbubbel,' zei hij hoofdschuddend terwijl hij haar de belastingaangifte liet ondertekenen. Het was een grijze, wijze man, haar ooit aangeraden door haar vader. Ze geloofde hem onvoorwaardelijk en nam daarom het kloeke besluit de flat te verkopen. Precies een week later stortten de torens van het WTC in New York in.

Dit was geen uiteenspattende zeepbel, maar iets veel groters, engers en zichtbaarders. Samen met Eric, en af en toe met de kinderen, keek Wendolyn urenlang naar de televisiebeelden en spelde alle kranten. Ze was blij dat ze nu niet alleen was. Niet dat ze zich ineens bedreigd voelde, maar het was allemaal zo veel en zo groot om in je eentje te behappen: zo veel doden, zo veel schade, zo veel angst. Ze keek onderzoekend naar Jasper, die net als zijzelf met grote vraagogen naar het televisiescherm staarde, en vroeg zich af hoe hij zich dit alles later zou herinneren. Hopelijk net zo vaag als zij zich de Lockheed-affaire en de Molukse treinkapingen uit haar jeugd herinnerde?

Intussen was Eric vooral blij met haar besluit de flat te verkopen. Hij zou het daar missen, zei hij, maar werd gelukkig van het vooruitzicht dat Wendolyn nu voorgoed bij hem introk. Van Heleen verwachtte Wendolyn echter dat die haar zou wijzen op alles wat ze opgaf: een eigen huis, een plek om naar terug te keren als het ingewikkeld werd op de Parnassusweg... Maar toen ze Heleen belde, zei ze daar helemaal niets over. Heleen was met heel andere dingen bezig. Heleen was zwanger.

Toen ze weer adem had, vroeg Wendolyn voorzichtig: 'Is dat goed?' Voor hetzelfde geld was het per ongeluk, wilde Heleen helemaal niet, was het ongewenst.

'O, ja,' zei Heleen. Toch wel. Toegegeven: het was een ongelukje, maar nu vond ze het toch wel tof. 'Toch wel tof' – dat waren haar letterlijke woorden. De vader was een minnaar van Heleen die Wendolyn wel kende, maar ze had niet de indruk dat Heleen van plan was die vader erbij te nemen in haar leven. Ze was, hoorde Wendolyn, helemaal niet van plan haar leven anders in te richten. Wendolyn kende mensen die meer plannen maakten als ze besloten om een hond te kopen.

'Het komt allemaal wel goed,' zei Heleen luchtig.

'Doe je tests? Vlokkentests en zo?'

Heleen was tenslotte net als Wendolyn al bijna drieënveertig, en ze wilde waarschijnlijk geen Bertje. De moeder van Bertje had het zich vast ook anders voorgesteld.

'Ja, ja, maak je geen zorgen,' lachte Heleen.

Toen de verbinding was verbroken, staarde Wendolyn naar buiten, in de richting van de donkere coniferenhaag. Haar Heleen. Haar kindvrije zone. Haar steun en toeverlaat in het niet-moederschap, haar medestander in de wereld die zo langzamerhand alleen nog maar bestond uit vaders, moeders, bakfietsen, Cito-toetsen en computergames... Haar buik roerde zich en ze ging in de keuken kijken of er iets te eten was.

Na de verhuizing vonden Wendolyns spullen moeiteloos een plek tussen de meubels die er al stonden; het huis aan de Parnassusweg was nog steeds niet vol.

'Wat een lekkere stoel!' zei Jasper en hij liet zijn lange lijf met een plof in Wendolyns duurste designfauteuil vallen. Ze zei er niets van, want ze was bezig Daniëlle ervan te weerhouden om al haar dozen tegelijk uit te pakken en om kranten- en vloeipapieren pakketjes los te wikkelen alsof het sinterklaas was.

'Doe deze maar,' zei Wendolyn en ze schoof haar een doos met keukenspullen toe.

'Wat een stomme borden,' hoorde ze even later, en Lisa be-aamde: 'Ja. Truttig.'

Gekwetst keek Wendolyn op. Het waren natuurlijk maar bor-den en het waren maar pubermeiden, en ze moest zich zulke dingen niet aantrekken, die kinderen zeiden maar wat en zou-den ongetwijfeld in de toekomst nog wel vaker Wendolyns ser-vies en cd's en kleding en kapsel afkeuren, maar toch...

'Die zijn van mijn moeder geweest,' zei ze, waarop de meiden een beetje bedremmeld zwegen. De borden behoorden tot de weinige dingen die Wendolyn nog van haar moeder had.

Toen beneden haar spullen waren uitgepakt, bedong Wendo-lyn de torenkamer.

'Ik moet één plekje voor mezelf hebben,' zei ze. 'Eén plek waar de kinderen niet mogen komen, waar ik me kan terugtrekken, waar ik kan werken en veilig spullen kan neerzetten die niemand wat aangaan.' *A room of one's own.*

'Mag ik er komen?' zei Eric lachend.

'Jawel. Als je aanklopt,' zei ze plagend.

Ze kon de torenkamer makkelijk tot de hare maken, omdat niemand er ooit naar had omgekeken. Je moest er twee trappen voor op en het was echt een heel klein kamertje: een bed paste er niet eens in. Milly en zelfs Elsa hadden zich hier kennelijk nooit gewaagd, en Wendolyn moest de ruimte dus te lijf met sop en ragebol. Het torenkamertje had een paar kleine ramen, die sinds Eric hier was komen wonen nooit waren gelapt: het glas was ondoorzichtig door een dikke laag stof. Met de stofzuiger zoog Wendolyn spinnenwebben en eventuele spinnen op, en ze poetste de raampjes tot ze het uitzicht op de Parnassusweg ont-hulden: de paar huizen aan de overkant en de weilanden daar-achter.

'Wauw,' zei Jasper, die stiekem was komen kijken. 'Best cool. Hier wil ik wel slapen.' Hij was nu vijftien en had een zware bas-stem.

123

'Dat had je gedacht,' zei Wendolyn. 'Deze kamer is voor mij.'

'Jij past er niet eens in, Jasper,' zei Lisa, die achter haar broer aan was gelopen.

'Weg jullie!' zei Wendolyn, en ze bracht een klein tafeltje, een stoel en een piepklein kastje naar boven. Hier zou ze gaan zitten als het haar beneden allemaal even te veel werd, nam ze zich voor. Rustig een boek lezen of privé telefoneren.

Toen ze met een emmer zwart sop de trap af liep, stond Eric beneden op haar te wachten. Hij keek naar haar met een onderzoekende blik in zijn ogen en ze haalde gauw een hand door haar haar.

'Zit er spinrag op mijn hoofd?'

Toen lachte hij, haalde diep adem en antwoordde: 'Wil je met me trouwen?'

Halverwege de trap bleef ze verschrikt staan; het sop in haar emmertje klotste. Het was een logische stap, natuurlijk. Zo brachten ze immers in één klap Wendolyns positie in veiligheid als Eric onverhoopt iets mocht overkomen. Ze zou dan in het huis op de Parnassusweg kunnen blijven, bijvoorbeeld.

Ze keek naar hem.

Hij keek terug, met twinkelende ogen en een lachende mond, en omdat hij niet op zijn knieën ging, zei Wendolyn niet officieel 'ja', maar riep ze vanaf haar traptrede: 'Da's goed', en nam met die woorden afscheid van haar dogma dat een huwelijk de zaken alleen maar compliceerde als het misging. Toen ze de laatste treden af was gelopen zette ze haar emmer neer, ging voor Eric staan en streek bijna verlegen met een hand langs zijn wang.

'Dat is goed,' zei ze nog een keer.

Ze voelde zich een beetje vereerd. Het was een prettige sensatie.

Ze hielden het klein. Het was tenslotte maar een formaliteit, en Wendolyn was niet een vrouw die ooit had gedroomd van koetsen, witte jurken en hoge hoeden. Ze vond een etentje met een goede wijn mooi genoeg. Uiteindelijk werd het natuurlijk toch niet zo klein als ze zich had voorgesteld, want Eric vond dat behalve de getuigen de kinderen erbij moesten zijn, en wat goede vrienden, en zo kwamen ze algauw op een mens of vijftig. Voor de gelegenheid kocht Wendolyn daarom een jurk – geen witte, maar een jurk van het soort dat ze zich normaal gesproken niet veroorloofde en die in rijke plooien langs haar benen naar beneden viel. Van de twee meiden oogstte ze bewonderende blikken, die ze blij in ontvangst nam, maar Jasper reageerde niet. Hij was allang aan Wendolyn gewend – ze was net zo normaal geworden als de bank voor de tv en de frisdrank in de koelkast –, maar dat ze nu officieel de vrouw van zijn vader werd vond hij toch een beetje raar.

'Hij vroeg me of we nu nog weleens met z'n vieren zijn,' vertelde Eric lachend.

Wendolyn lachte niet mee. De opmerking deed haar onverwacht pijn en maakte dat het besef in alle hevigheid tot haar doordrong dat ze als ze hier niet meer welkom was nergens meer naartoe kon. Dat was de echte prijs van de flat, de echte tol van een huwelijk.

Eric zag haar reactie en trok haar dicht tegen zich aan; hun lijven voegden zich vertrouwd naar elkaar en hij fluisterde in haar oor: 'Je bent thuis, Wendolyn. Dit is je thuis.'

In het gemeentehuis hield een iets te formele ambtenaar een iets te strenge toespraak, maar Eric en Wendolyn gaven elkaar het jawoord terwijl ze elkaar diep in de ogen keken en onuitgesproken beloftes deden. Toen lachte Eric zijn Clooney-lachje, kusten ze elkaar en begonnen Lisa en Daniëlle, die met rode wangen van opwinding zaten toe te kijken, luid te giechelen, waardoor iedereen in de zaal in de lach schoot.

Daarna waren de getuigen aan de beurt: gynaecoloog Ben,

radioloog Farouk, Heleen en Wendolyns vader. Toen de laatste zijn handtekening zette, wist nog niemand dat dit zijn laatste officiële daad zou zijn: een paar weken later kreeg hij de beroerte die hem halfzijdig verlamd en afatisch achterliet. Na nog twee beroertes was hij dement.

Wendolyn was diep bedroefd. Niet lang voor de bruiloft had ze op de Parnassusweg nog een ontmoeting georganiseerd tussen haar vader en zijn aanstaande stiefkleinkinderen. Jaren te laat natuurlijk, maar zij had het nooit nodig gevonden en haar vader had er nooit om gevraagd... Het leek haar echter raar als de vier elkaar op de trouwdag voor het eerst zouden ontmoeten. Vanaf dat moment hoorden de kinderen immers ook in officiële termen min of meer bij haar?

Zoals ze al had gevreesd, was het een wat ongemakkelijke bijeenkomst geworden. De kinderen keken naar haar vader zoals ze naar iedere andere oude man keken; het was helemaal niet alsof er ineens een opa was opgestaan. Na wat onhandige opmerkingen van Wendolyns vader over school en wat ze later wilden worden, hadden Lisa en Jasper iets gemompeld over huiswerk en waren naar boven vertrokken. Alleen Daniëlle was blijven zitten; die vond het wel interessant dat deze oude man burgemeester was geweest.

'Had je een hoge hoed?'

Achteraf bezien was die bijeenkomst dus weliswaar erg laat, maar nog net op tijd.

Wendolyn had zich nooit gerealiseerd dat er voor wees worden ook een wachtkamer is.

'Hoe doen jullie dat?' vroeg ze Eric. 'Hoe ga je daarmee om? Jullie zien dat soort ellende toch elke dag in het ziekenhuis? Hersenbloedingen en alzheimer en dementie?'

'Het is ons werk,' zei hij. 'Dat is heel anders.' Hij legde een troostende hand tegen haar wang, en zei dat als er geen genezing meer was, iedereen zich professioneel bezig hield met het bestrijden van pijn en van lijden. Er werden medicijnen gegeven, er werd gevoed en verschoond.

Dat klonk Wendolyn bekend in de oren.

'Als een tamagotchi,' zei ze met een waterig lachje.

'Als een tamagotchi,' beaamde Eric, en ook hij lachte zacht. De hand tegen haar wang voelde zacht, vertrouwd en steunend.

'Mijn vader sprak vijf talen. Wat zonde, hè?'

'Hij heeft nog steeds een prachtige dochter, die kan vertellen dat hij vijf talen sprak.'

Woorden waaraan Wendolyn later terugdacht, want wie zou er over haar vertellen wat ze allemaal wel niet had gekund? Wat voor vrouw ze was geweest?

Eric deed die dagen dus zijn best om haar te troosten, de kinderen liepen voorzichtig om haar heen. Nog nooit was het zo makkelijk geweest om de afwasmachine leeggeruimd, het vuilnis buiten en de keukenvloer geveegd te krijgen; Wendolyn hoefde maar met haar vingers te knippen. Vragen over hoe ze zich voelde durfden de kinderen haar niet te stellen; alleen Daniëlle zei een keer aan tafel: 'Het lijkt me echt heel erg erg als je papa of mama zoiets overkomt.'

Jasper en Lisa keken naar hun zusje, een beetje geschrokken van deze directheid, maar Wendolyn dacht aan het zwijgen van haar moeder, schraapte haar keel en zei: 'Ja. Dat klopt. Dat is heel erg erg. Ik heb er veel verdriet van. Au!' Er staken scherpe nageltjes in haar vel toen een cypers katje tegen de broekspijp van haar linkerbeen omhoogklauterde.

Toen Eric haar vroeg wat ze als huwelijkscadeau wilde, had Wendolyn gezegd: 'Ik wil een kat.'

'Een kat? Een echte?'

'Ja, wat dacht je dan? Weer iets op batterijen?'

'Een kat... Mijn vrouw wil een kat. Een speciale kat? Een raskat?'

Het bijna achteloze 'mijn vrouw' deed Wendolyn bijna zelf spinnen als een poes.

'Nee, een heel gewone kat. Zo eentje die anders naar het asiel moet. Een huis-, tuin- en keukenkat. Een die ik zelf een naam mag geven.'

'Hoe heet hij dan?'

'Zij. Ik wil een poes. En ik weet nog niet hoe ze heet, ik moet haar eerst zien.'

De bezwaren die Eric had kunnen maken – wie de kattenbak verschoonde, wie met het beest naar de dierenarts ging, hoe dat in de vakantie moest en wat als de kat vlooien kreeg – slikte hij in: hij hing een briefje op in de kantine van het ziekenhuis en binnen de kortste keren was er een kitten. Wendolyn keek ernaar en doopte haar Wispel.

Wispel was het eerste huisdier van vlees en bloed op de Parnassusweg, en ze kwam met de wereld van Sheba, Whiskas en Gourmet. De dierenarts had zelfs lightproducten, voor als ze te dik werd.

'Jezus,' zei Wendolyn, 'Hoe leggen we dat in Somalië uit?'

'Kan ze muizen vangen?' vroeg Daniëlle terwijl ze Wispel onder haar minikinnetje kriebelde.

'Vast wel,' zei Wendolyn. 'Maar nu is ze misschien nog een beetje te klein.'

'Zeg je het als ze een muis heeft? Een dode muis kunnen we op een mierenhoop leggen.'

'Hè, gatver! Wat zeg je nou?'

'Dat stond op internet. Dat als je een dood beest op een mierenhoop legt, dat je dan een mooi schoon skelet krijgt.'

Wendolyn zuchtte. Iedereen in huis had gedacht en gehoopt dat Daniëlles gedoe met botten en schedels nu eindelijk was afgelopen, dat de tamagotchi en de furby hadden geholpen, of dat Daniëlle gewoon andere interesses had gekregen, maar het was allemaal weer helemaal opnieuw begonnen sinds het meisje had bedacht dat ze kunstenaar werd. Op haar slaapkamer stonden de dozen waarin de botjesverzameling was opgeborgen weer wijd open.

'Iew,' zei Lisa. 'En dat is mijn zus. Wat ben je toch een vies kind!'

'Nee, hoor,' zei Daniëlle zelfverzekerd. Dat was juist heel schoon; de mieren aten met hun kleine kaakjes alles weg, op de botjes na.

Wendolyn keek haar hoofdschuddend aan.

'Weet jij ergens een mierenhoop?' vroeg Daniëlle hoopvol.

Nee, heel raar, maar dat wist Wendolyn niet. Ach, in de wereld van de kunst zou Daniëlle het tij mee hebben. Dood was in. Zie Jef Koons en Damien Hirst; die leken een wedstrijdje te doen wie het meeste opzien baarde met opgezette beesten en andere lijken.

Nadat ze die ochtend haar laatste cliënt had gesproken, pakte ze haar tas en jas en reed het hele eind naar het huis van haar vader. Niet dat die op haar zat te wachten; haar vader wachtte nergens meer op, hooguit op de dood. Hij zat scheef op een stoel aan de eettafel en reageerde niet toen Alice Wendolyn de woonkamer binnenliet. Op de bank hief een kleine witte zeehond echter zijn kop op en zei: 'Oeh, oeh.'

Nu reageerde Wendolyns vader wel.

'Uh, uh!' zei hij blij. Zijn linkerhand wreef cirkeltjes over het tafelkleed, zijn rechterarm hing vleugellam langs zijn zij. Alice stond op, pakte de zeehond alsof het een baby was en legde hem op de schoot van haar man.

'Aait hij tenminste even iets anders dan het tafelkleed,' zei ze. 'Hij is er zo gek mee.'

'Wat is dat dan?' zei Wendolyn.

Dit was een paro, legde Alice uit. Een heel nieuw soort interactieve knuffel, die men wilde gaan gebruiken in de verpleging van dementerenden.

'Hij reageert op geluid en op aanraking. Heel schattig.'

Wendolyn vond het raar en een beetje naar om haar vader te zien met een knuffel op schoot. Hij leek er echter blij mee en legde zijn linkerhand op de kop van de zeehond.

'Oeh!' zei de zeehond tevreden.

'Kunnen ze daar geen echte beesten voor gebruiken?' vroeg Wendolyn. 'Honden of katten of zo?' Dat ze inmiddels een hele generatie opvoedden met beesten die je naar believen aan en uit kon zetten, furby's en tamagotchi's, en virtuele beesten die met een stekker of een batterij of een druk op de knop nieuw leven ingeblazen werd, dat was één ding, maar wat zou haar vader gevonden hebben van zo'n namaakdier? Haar échte vader, die toch ooit op een boerderij had gewoond?

'Dit is toch veel makkelijker?' zei Alice. 'Deze poept niet en plast niet, en hoeft niet te worden uitgelaten...' Ze lachte, en Wendolyn besefte dat Alice dezelfde argumenten gebruikte als zijzelf voordat ze om poes Wispel had gevraagd.

Alice schonk thee in. De zorg voor de paro gaf mensen weer zin in het leven, doceerde ze intussen, en het gevoel dat hun leven weer zin had. De zeehond moest alleen af en toe even worden opgeladen, maar verder werd hij nooit ziek, en hij ging vooral niet dood.

'Oeh,' zei de paro, en zijn grote donkere ogen keken smekend omhoog naar de man die ambtskettingen had gedragen, gemeenteraden had voorgezeten en crisissen had gemanaged, die zelfs een keer gast was geweest in *NOVA* omdat er in zijn gemeente bodemvervuiling was ontdekt, die besluiten had genomen die tienduizenden mensen aangingen, die koninklijke onderscheidingen opspeldde en honderdjarigen feliciteerde... De man die Wendolyns vader was. Was geweest.

'Uh,' zei die man.

'Lief, toch?' zei Alice vertederd. 'Hij was vast een leuke opa geweest.'

Wendolyn voelde een pijnlijke steek in haar onderbuik.

8

Ze wist niet wanneer het was begonnen en niet waarom, maar ze kon er niet meer omheen. Was het haar leeftijd? Wendolyn herinnerde zich een acquisitie vorig jaar. Ze was naar een van haar vaste opdrachtgevers toegegaan in de veronderstelling dat ze zonder veel gedoe weer een goeie klus kon binnenslepen, maar tot haar verbazing had de opdrachtgever dit keer geaarzeld.

'De club waar het nu om gaat, is nogal jong...' zei hij.

'Nou en?' zei Wendolyn. Ze had immers wel vaker met jonge mensen gewerkt.

'Misschien dat we deze keer beter iemand kunnen inzetten die een eh... natuurlijke aansluiting heeft,' zei hij, en hij trok met een pijnlijk gezicht zijn rug recht, waardoor zijn enorme buik boven zijn broekband uitbolde.

'Nou zeg,' zei Wendolyn. 'Je doet of ik een verstofte bejaarde ben.'

Ze was toen tweeënveertig.

'Ben jij dit jaar naar Pinkpop geweest? Dance Valley? Sensation?'

'Nee, dat is... Dat is niet echt mijn ding,' zei ze een beetje verbouwereerd.

'I rest my case,' zei de man over zijn buik heen, en de opdracht ging aan haar neus voorbij. Verontrust was ze weggereden. Het was niet de eerste keer dat ze werd afgeserveerd als oud en onwetend; daar droegen haar stiefkinderen ook hun steentje aan bij. Het waren immers niet alleen producten als Danoontje, Fristi en Babybell waar Wendolyn mee werd geconfronteerd en waar ze nauwelijks weet van had; er was ook muziek die ze niet kende. Ze kende Madonna en Britney Spears, maar wie in godsnaam waren Puff Daddy en Dr. Dre? Er waren games waarvan ze het bestaan niet kende, tekenfilms die tot de wereld van de kinderen behoorden en niet tot de hare, kledingmerken waar ze nog nooit van had gehoord en merchandising die de kinderen interesseerden en haar hoegenaamd niet. Pokémon, Hello Kitty... Hello Kitty? Wie was Kitty? Wat was er zo leuk aan die Kitty? Tot haar verbazing ontdekte ze later in de stad een hele winkel vol Kitty-spullen.

Misschien was het dus haar leeftijd, misschien het fulltime stiefmoederschap, maar wat ooit was begonnen als een gevoel van honger bij het voorlezen van Daniëlle en op Vlieland een vage hunkering was geworden, was nu ineens een heftig, niet te negeren verlangen naar een kind. Haar eigen kind.

Of kwam het door Heleen? Heleen was van een zoon bevallen: toen Wendolyn na een bedrijfstraining op kraamvisite ging, nog op hoge hakken en met haar mantelpakje aan, toonde de nieuwbakken moeder trots haar baby. Hij was enorm: bijna vijf kilo. Heleen vond het prachtig dat hij zo groot was.

'Kijk, wat een kanjer!' zei ze stralend.

Wendolyn had nog nooit zo'n grote baby gezien. Ze wist niet of het daaraan lag, maar ze vond hem niet leuk. Dat hoorde natuurlijk niet: baby's zijn altijd leuk. Baby's zitten van nature zo in elkaar dat ze vertederen, want dat is het enige wapen dat ze hebben: ze zijn precies zo ontworpen dat je wel van ze moet houden, en dat je ze dus eten geeft, warmte en verzorging, dat je ze in leven houdt. De baby van Heleen riep dat allemaal niet op, althans niet bij Wendolyn, en ze dacht dat hij dat in de gaten had, want hij lag nog niet in haar armen met z'n hele bijna vijf kilo of hij begon te schreeuwen. Die zag natuurlijk meteen dat dit foute boel was en vreesde voor een nare toverspreuk van deze neptante; een spreuk die hem zijn hele verdere leven zou achtervolgen. Je bent geen moeder, dacht Wendolyn toen ze de baby teruggaf en tersluiks keek of er vlekken op haar blouse waren gekomen. En misschien is dat maar goed. Misschien hebben niet alle vrouwen vanzelf dat moederlijke. Misschien heb ik alleen het stiefmoederlijke. Gelukkig maar...

Toch bleef er iets knagen.

De vader van de baby, gelukkig in beeld gebleven, was net zo trots op de reuzenbaby als Heleen. Zelf was hij een niet-onverdienstelijk judoka, dus wie weet wat hij al voor zich zag.

Ze noemden het kind Wolf.

Wat haar stiekem bezighield, vertelde Wendolyn nog niet aan Eric. Misschien dat het vanzelf overging? Met de gelukkige Heleen sprak ze er ook niet over; ze ging met haar twijfels naar Klara. Het is wel handig als je voor elke situatie een vriendin hebt.

Ze trof een stoïcijnse Klara in een chaotisch huis. Klara keek haar onderzoekend aan, maar zei: 'Wat gezellig!', en ging meteen koffiezetten. Haar vier kinderen en stiefkinderen waren allemaal naar school, of inmiddels naar een vervolgopleiding. Hun sporen waren echter overal zichtbaar: een wirwar van schoenen in de buurt van de kapstok, een verfvlek op de bank en een skateboard in de gang. In de huiskamer stond een enorme spelcomputer.

'Ah,' zei Wendolyn, 'dus jullie ook.'

'Ja, tuurlijk. Het voorkomt in elk geval dat ze eindeloos achter hun vaders computer zitten,' zei Klara lachend. Toen zuchtte ze een beetje zorgelijk. 'Ze zeggen dat je je kinderen in de gaten moet houden als ze achter de computer zitten, maar mijn oudste zoon vertelt mij wat de beste zoekmachine is op internet als ik nog aan het zoeken ben hoe je überhaupt op internet komt.'

133

Wendolyn glimlachte. Ze dronken koffie aan een tafel vol hagelslagkorrels, halflege koffiebekers en broodkruimels. Klara veegde de kruimels met de zijkant van haar hand bij elkaar en zei dromerig: 'Ooit heb ik zo'n keuken uit *VT Wonen*. Strak design en brandschoon. Wacht maar!'

'Vind je dat niet vervelend? Dat je die nu niet hebt, bedoel ik?'

Klara lachte. Ja, natuurlijk dat was vervelend, zei ze opgewekt, maar het ging voorbij. En het woog lang niet op tegen het geluk dat de kinderen haar schonken.

'Sinds ik ze heb, weet ik waarom ik er ben,' zei ze. Ze hadden haar nodig, ze waren de reden van haar bestaan, ze gaven haar leven zin.

Ze keek tevreden.

'Geldt dat voor alle twee de soorten? Ik bedoel, voor je eigen kinderen én je stiefkinderen?'

Klara keek haar nieuwsgierig aan, maar stelde niet de voor de hand liggende tegenvraag. Peinzend ving ze de laatste kruimels van de tafel op in de palm van haar hand.

'Ik sta mezelf niet toe om onderscheid te maken,' zei ze, terwijl ze naar de vuilnisbak liep, waar een overvolle zak in zat.

'Dat betekent dat er dus wel verschil is,' zei Wendolyn.

Klara zuchtte en zei terwijl ze haar hand afklopte: 'Ja, natuurlijk.'

'Wat is het verschil dan?'

De volle zak werd uit de bak getrokken.

'Tja. Het eigene, hè,' zei Klara. Dat begreep Wendolyn vast ook wel. Die vanzelfsprekende liefde, die er van meet af aan was en die niet hoefde te groeien. Bovendien waren die van hem moeilijker. Lastiger. Onbeleefder. Die van haar waren leuk en gezeglijk.

'Misschien ben je toegeeflijker als het om je eigen kinderen gaat?'

O nee, die van hem waren echt slechter opgevoed. Lawaaiiger.

Brutaler. Verwender. Dat kwam door hun moeder, hun echte moeder: die had het voor het zeggen gehad tot ze hen naar hun vader stuurde omdat ze haar letterlijk en figuurlijk boven het hoofd groeiden. Ze waren toen twaalf en veertien.

Klara maakte de vuilniszak dicht om hem buiten in de kliko te gooien.

'Maar ik sta mezelf dus niet toe om dat te denken,' mompelde ze toen ze terugkwam.

Wendolyn nam afscheid en reed daarna rondjes door de stad om na te denken. Ze dacht aan de keuken uit vt Wonen en toen aan wat Klara had gezegd over de zin van het bestaan. Zo simpel kon het toch niet zijn – dat je een paar kinderen op de wereld zette en dat daarmee de vraag naar het waarom en waartoe beantwoord was? Want waar liet dat haar? Waar liet dat de niet-moeders? De kinderlozen?

Toen ze uiteindelijk weer op de Parnassusweg arriveerde, pakte ze de telefoon en maakte een afspraak met haar psychiater Annejet. Misschien kon die helpen om Wendolyns verwarde gevoelens op een rijtje te zetten? Toen ze het gesprek beëindigd had, ging de voordeurbel. Haastig raapte ze een afgekloven klokhuis van de eettafel en liep daarna door de hal om met een professionele glimlach de cliënt te verwelkomen die voor de deur stond.

De spreekkamer van Annejet was nauwelijks veranderd, zag Wendolyn een week later. Het was meer dan tien jaar geleden dat ze hier voor het laatst was, maar dezelfde bank stond er nog, dezelfde stoel en daartussenin hetzelfde salontafeltje met een doos tissues. Alleen het merk tissues was veranderd – of misschien de huisstijl van het oude merk. God, Wendolyn had hier wat zakdoekjes vol gejankt met vragen over haar moeder. Vragen over haar moeders zwijgzaamheid en lijdzaamheid, vragen over waarom ze had gedaan wat ze had gedaan, en vragen over wat dat met Wendolyn deed.

'Er bestaat zoiets als tweede-generatie oorlogsslachtoffers,' had Annejet op een zeker moment gezegd.

'Ach,' zei Wendolyn afwerend. 'Wat heb ik nou met die hele rotoorlog te maken?'

Pas veel later bedacht ze dat er misschien iets in zat, in wat Annejet had gezegd. Niet dat ze zichzelf nou als slachtoffer wilde zien, maar ze begreep nu wel dat een oorlog nog generaties kan doorwerken. Tegenwoordig hoefde ze daarvoor tenslotte alleen maar naar Eric te kijken; dan zag ze actueel verdriet over een door de oorlog zwartgekleurde jeugd.

Annejet was inmiddels in de zestig, met steil grijs haar, dat precies in het midden was gescheiden en langs haar rimpelige wangen omlaagviel. Ze had vriendelijke ogen, een milde mond en droeg een prachtig linnen broekpak, dat bij Wendolyn meteen onmogelijke kreukels zou krijgen, maar bij Annejet niet. Misschien omdat ze zo stil zat terwijl ze luisterde? Soms leek Eric een beetje op Annejet; hij kon op dezelfde aandachtige manier luisteren. Hij had ook wel psychiater kunnen worden, peinsde Wendolyn, in plaats van neuroloog. Uiteindelijk ging het tenslotte allemaal om het brein.

'Hoe gaat het met je?' vroeg Annejet toen ze eenmaal tegenover elkaar zaten, en Wendolyn begon te vertellen over haar trainingen en haar coachingcliënten, en toen pas kwam ze aan Eric toe en hoe ze die had ontmoet, wat voor leuke man hij was en dat ze was getrouwd en...

'Drie kinderen!' zei Annejet. 'Daar heb je een hele zorg aan.'

'Ja.'

Misschien wel de zorg, maar niet de eindverantwoordelijkheid, dacht ze. Dat is geloof ik wat me dwarszit: dat ik de deur dicht kan doen en de knop omzetten en terug kan gaan naar mijn eigen leven, omdat de kinderen het prima zonder mij redden. Dat ik niet echt nodig ben. Dat ik inwisselbaar ben.

'Hoe vind je het om stiefkinderen te hebben?'

'Niet altijd makkelijk...'

'Zijn het leuke kinderen? Geef je om ze?'

Ze vroeg gelukkig niet: hou je van ze?

'Ik zorg voor ze,' antwoordde Wendolyn ontwijkend. 'Ik kook weleens voor ze, ruim soms hun rotzooi op, help ze af en toe met hun huiswerk...' Gaf ze om ze? Ze was bezorgd als een van hen ziek was en tevreden als een ander thuiskwam met een goed cijfer; ze lachte als er grapjes werden gemaakt... Maar gáf ze om de kinderen? Gaven ze eigenlijk om haar? Ze wist het niet, zelfs niet na al die jaren.

Toen ze eindelijk toe was aan wat haar echt bezighield, haar eigenlijke vraag, zei Annejet ineens vriendelijk: 'Het is tijd.'

'Maar...' zei Wendolyn. Ze keek op haar horloge. Ze was drie kwartier aan het woord geweest.

'Volgende week zelfde tijd?' Annejet was van het psychoanalytische type en zat er niet mee haar cliënten vaak te zien.

Jasper en Lisa waren thuis toen Wendolyn op de Parnassusweg terugkwam, maar ze beklom zachtjes de trappen naar haar torenkamer. Daar liet ze haar schoudertas op de grond vallen en ging op het stoeltje aan het tafeltje zitten. Eric mocht het straks beneden zelf opknappen met zijn kinderen. Zij zou zich even niet met hen bezighouden, en daar zou ze geen last van hebben. Ze ondervond immers al genoeg nadelen van het stiefmoederschap? De tijd en energie die het haar kostte, het feit dat ze Eric altijd moest delen... Ze mocht best ook weleens genieten van de voordelen: een stiefmoeder kan zich drukken. Het waren niet haar kinderen, ze waren niet van haar afhankelijk en er was dus geen enkele reden om zich schuldig te voelen of niet loyaal aan Eric als ze zich, zoals nu, even terugtrok.

Toen ze uit het raam keek, voelde zich echter toch schuldig. Ze wist dat Daniëlle van school gehaald moest worden, dat er gekookt moest worden, dat de afwasmachine nog niet leeggeruimd was en dat poes Wispel zou zeuren om haar blikje kattenvoer. Wispel was wél haar verantwoordelijkheid.

Ze zag dat de zon al laag aan de hemel stond, pakte haar mobiele telefoon uit haar tas en belde een moeder die ze op het schoolplein had leren kennen. Zij zou Daniëlle meenemen en thuisbrengen – ja, natuurlijk, geen probleem. Je liet zo'n kind natuurlijk niet verloren op een schoolplein staan...

Daarna zat Wendolyn weer op het stoeltje een tijdje naar het inmiddels schemerige weidelandschap te kijken, ze hoorde beneden Daniëlle thuiskomen en toen het allang donker was en ze naar haar eigen bleke reflectie in het raam keek, ook Eric. Ze stelde zich voor hoe de kinderen hun schouders ophaalden op zijn vraag waar Wendolyn was. Geen idee. Ze zou vast wel ergens zijn. Hoezo?

Ze keek naar de kale muren van het kamertje en stelde zich er kindertekeningen op voor, hanepoterig gesigneerd door háár kind. Haar eigen kind. Ze dacht aan de 'boomstam' van Jasper: de lijnen die hij had getrokken van vaders en moeders naar kinderen naar kleinkinderen... Als zij aan Jaspers boomstam had gehangen, dan was ze een zijtakje geweest. Een dor takje, zonder spruiten. Een nutteloos takje.

Ze begon zachtjes te huilen. Alle bezwaren die ze tot nu toe had gekoesterd waren futiel. Natuurlijk kon je met een kind prima blijven functioneren in het maatschappelijk leven; dat deden er zoveel. Natuurlijk betekende een kind niet het einde van een loopbaan; dat werd zo vaak bewezen. En de grootste idioten kregen kinderen – waarom zij dan niet? Had zij niet recht op een kind, een kind helemaal voor zichzelf? Ineens wist ze het heel zeker. Ze wilde armpjes die in vertrouwen om haar nek werden geslagen, ze wilde plakzoentjes van onvoorwaardelijke liefde, ze wilde foto's van haar trots in een huishoudportemonnee.

Haar mobiele telefoon ging over.

'Wendolyn? Waar ben je?'

138

Eric.

'Boven,' zei ze.

'Hoezo, boven? Hier boven?'

'Op mijn kamer.' Ze haalde haar neus op. 'Ik kom zo.'

Ze kon Erics verwarring bijna horen.

'Wat doen we met eten?' vroeg hij toen.

'Geen idee,' zei ze en ze drukte hem weg.

Nog even bleef ze in het kamertje en dacht na over Eric. De kans dat hij niet nog een kind wilde achtte ze groot; hij had zijn handen vol aan de drie die er al waren. Betekende dat dat ze moest nadenken over haar relatie met Eric? Zich misschien moest afvragen of ze wel genoeg van hem hield om bij hem te blijven als hij niet nog een kind wilde - een kind met haar? Chanteerde ze hem als ze alleen bij hem wilde blijven als hij wél nog een keertje wilde? Eric was zevenenvijftig. Hij was nu al een redelijk oude vader - als hij nog een nieuwe baby kreeg, was hij zevenenzestig en met pensioen tegen de tijd dat het meisje of het jongetje tien was. En als het meisje of het jongetje twintig was, dan was Eric een bejaarde man.

Ach, dacht ze, hij zou heus niet de oudste vader ter wereld zijn, en het meeste zou toch op haar neerkomen. Ze kon zich tenminste niet voorstellen dat Eric tijd zou inleveren om op haar kind te passen. Wat ze dus andersom in feite wel had gedaan... Hij had het recht niet haar een kind te ontzeggen!

Toen ze eindelijk beneden kwam, keek Eric haar bezorgd aan. Hij had een schort voor en een schuimspaan in zijn rechterhand.

'Het eten is bijna klaar,' zei hij, en hij trok haar met zijn linkerhand tegen zich aan.

'Wat is er?' fluisterde hij in haar nek, buiten het bereik van nieuwsgierige kinderoren. Ze voelde zijn sterke arm om zich heen, rook tomatensaus en nog een vleugje ziekenhuis. Kon ze het zonder Eric, alleen - met een zaaddonor bijvoorbeeld? Als ze maar een paar grote klussen per maand had, bleef ze financieel

139

wel op de been. Ze zou waarschijnlijk niet meer doorgroeien in haar werk, maar als ze dan toch een kind had, wilde ze met dat kind bezig zijn en niet met haar werk. Ze wilde zich druk maken om flesjes en slabbetjes en slaapliedjes, niet om carrière en erkenning. Ze wilde het wonder meemaken van het eerste stapje, niet van haar eigen zoveelste stap op de beloningsschaal. Ze wilde een huppelend meisje of een stuiterend jongetje op weg naar de speeltuin, geen gestreste managers op weg naar een burn-out. Ze wilde haar Maaike of Nienke of Elsje of Bastiaan of Pietertje of Pepijn opwachten op het schoolplein, uitkijken naar het smoeltje dat zou oplichten als het haar zag. Máma!

Ze maakte zich los uit Erics omhelzing, zei: 'Straks', en ging de tafel dekken.

Pas veel later, toen de kinderen naar boven waren, zei ze het hem.

'Ik wil een kind.'

Ze zag de schrik op zijn gezicht en de verwarring die ze aanvankelijk zelf had gevoeld.

'O!' zei Eric. Hij was even stil en zei toen: 'Ik dacht altijd dat jij geen kinderwens had.'

'Dat is veranderd. Ik weet ook niet waarom.'

Om Heleen! Om Olga! Om mijn stiefmoederschap! Mijn leeftijd en...

'Je bent drieënveertig,' zei hij.

'Misschien daarom?'

'Misschien dat het niet meer kan...'

'Olga heeft toch ook nog een kind gekregen? Die was toen toch ook al in de veertig?'

Nu zuchtte Eric diep. Had hij ook zo diep gezucht toen Olga hem zei dat ze kinderen wilde? Hij pakte Wendolyns hand, drukte er een zachte kus op en mompelde een 'ja', of misschien was het een 'tja' – in elk geval was het geen 'nee', en Wendolyn wilde zo graag, zo graag, dat het in haar hoofd een 'ja' werd en ze daar en

140

toen besloot andere signalen te negeren, zelfs toen Eric zijn gezicht naar haar ophief en ze zag dat hij tranen in zijn ogen had. Wacht maar, dacht ze, wacht maar tot die kleine er is. Dan komt het vast allemaal wel goed...

Al de volgende dag zei ze blij tegen de huisarts: 'Ik wil zwanger worden.'

'Dan moet je niet bij mij zijn,' antwoordde de huisarts lachend. Toen keek ze in Wendolyns status op de computer en fronste licht.

'Al bijna drieënveertig...' constateerde ze. 'Dat is wat laat voor een eerste zwangerschap.' Daarna vroeg ze naar de regelmaat van Wendolyns menstruatie.

Hartstikke regelmatig, want ze was aan de pil, weet je nog?

'Daar zou ik dan maar mee stoppen,' zei de huisarts alweer lachend, maar voor de zekerheid stuurde ze Wendolyn naar een gynaecoloog. De gynaecoloog werd Ben, Erics vriend en collega – degene die Eric na zijn scheiding had gesteund en getuige was geweest bij hun huwelijk. In eerste instantie was Wendolyn erop tegen dat juist Ben haar gynaecoloog zou zijn. Het was toch een beetje een bizar idee dat ze met gespreide benen voor hem zou liggen, terwijl ze ook weleens bij hem en zijn vrouw Mirjam aan tafel zat. Bovendien was Wendolyn bang dat Ben zou vragen of het wel een goed idee was dat Eric nu nog weer... Aan de andere kant wilde ze per se niet naar een ander ziekenhuis – het kostte haar zo al tijd genoeg. Ze moest er niet aan denken dat ze voor elk artsenbezoek een uur in de auto zou moeten zitten. Een klein stemmetje in haar hoofd zei: 'Fijn dat je er nu al geen tijd voor hebt. Hoe ga je dat doen als het kind er eenmaal is? Aan/uitknopje? "Aan" als je even tijd hebt, "Uit" als je een training moet geven?'

Tot haar opluchting bleek Ben werk en privé uitstekend te kunnen scheiden. Hij vroeg heel even hoe het met Eric en de kinderen ging, maar daarna was hij een rustige en zeer zakelijke vrouwenarts. Er was geen moment dat Wendolyn zich niet op haar gemak voelde, voor zover je ooit op je gemak bent bij een inwendig onderzoek. Ze bewonderde hem erom – en ach, uiteindelijk deed ze het zelf natuurlijk ook: zij kwam op feesten en recepties ook weleens mensen tegen die haar hadden verteld dat ze 's nachts in hun dromen vrouw en kinderen verlieten omdat ze eindelijk doorhadden dat ze homoseksueel waren, of die hun baas een keer hardhandig de waarheid wilden zeggen en fantaseerden over moord en doodslag.

Ben concludeerde dat het er allemaal heel normaal uitzag.

'Ik zie vooralsnog geen reden waarom je niet zwanger zou kunnen worden,' zei hij. 'Begin eens met elke morgen temperaturen. We hebben geen jaren meer de tijd tenslotte,' zei hij. Ook al. Een klein maandelijks sprongetje in de curve zou de eisprong verraden. Hij gaf haar een kaart om het bij te houden.

Tegen de kinderen zeiden ze nog niets.

'Voorlopig gaat het ze niet aan,' zei Wendolyn tegen Eric, en in gedachten installeerde ze Daniëlle alvast op de kamer van Lisa, zodat Daniëlles kamer een babykamer kon worden. Lisa zou waarschijnlijk protesteren tegen de dozen met botjes en skeletten die met Daniëlle meeverhuisden, maar dat zochten ze onderling maar uit.

Eric slaakte een hoorbare zucht. Hij leek niet erg blij met het vooruitzicht om nog een keer vader te worden, en Wendolyn betrapte hem er soms op dat hij met een sombere blik naar haar zat te kijken. Ze trok het zich niet aan. Ze wilde het zich niet aantrekken. Mijn keuze, dacht ze. Mijn kind.

Als vanouds ontving ze in de maanden daarop cliënten, deed een paar grote klussen buiten de deur, haalde Daniëlle elke werkdag uit school en kookte soms – maar alles nu in een nieuw, zachtroze licht. Ze was als het ware bij voorbaat vol verwachting.

142

Het vrijen met Eric kreeg een nieuwe dimensie – misschien niet per se voor alle twee dezelfde dimensie, maar Wendolyn legde twee handen stevig om zijn billen als hij in haar klaarkwam en bleef na afloop nog even liggen.

Maar zwanger werd ze niet. Wel bleef haar menstruatie soms uit, wat hoop gaf, maar dan kwam hij toch weer, en bleef opnieuw uit. Soms was ze zo lang over tijd dat ze stiekem een zwangerschapstest kocht, maar elke keer was de uitslag negatief. Ze werd er verdrietig en ongeduldig van, en toen gynaecoloog Ben acht maanden later de temperatuurcurve bekeek die Wendolyn had bijgehouden, besloot hij tot een uitgebreider onderzoek.

'Eric kunnen we overslaan,' zei hij glimlachend. 'Die heeft al drie bewijzen van zijn fertiliteit rondlopen.'

Het onderzoek bleek te bestaan uit een prik. Ben glimlachte niet toen hij de uitslag van de bloedtest kreeg.

'Weet je hoe oud jouw moeder was toen ze in de overgang kwam?' vroeg hij tijdens het volgende consult met een ernstig gezicht.

Het was een mooie voorjaarsdag, met fraaie wolkenpartijen tegen een blauwe lucht.

De vraag bracht haar van haar stuk.

'Geen flauw idee. Ik geloof niet dat we daar ooit over spraken...' Haar moeder was bij uitstek het type geweest om overgangsklachten te verbergen voor de buitenwereld. De buitenwereld zoals in: Wendolyn. Was haar moeder überhaupt oud genoeg geworden om in de overgang te komen?

'Mijn moeder was pas zesenvijftig toen ze stierf,' zei ze. 'Wanneer is de overgang ook alweer precies?'

'Dat wisselt. Er zijn vrouwen die op hun zestigste in de menopauze komen, maar er zijn er ook bij wie dat op hun veertigste het geval is. Een enkeling is zelfs nog vroeger.'

Zijn rustige stem verraadde slecht nieuws.

143

'Veertig...' zei Wendolyn, en ze wreef over haar nek. 'Ik ben net vierenveertig geworden.'

'Dat weet ik,' zei Ben vriendelijk.

Er schoof een wolk voor het zonlicht dat door het raam van zijn spreekkamer viel. De boodschap was duidelijk. Wendolyn begon een beetje te lachen, omdat ze niet wilde huilen, en ze wenste dat Eric hier was om haar hand vast te houden, want het drong kristalhelder tot haar door dat haar iets werd afgepakt. Waarschijnlijk voorgoed. Voor altijd. Maar Eric zat een paar gangen verderop zijn eigen poli te doen.

'Maar daar is toch wel iets tegen? Of iets voor?' zei Wendolyn met een klein stemmetje en tegen beter weten in. 'Iets van hormonen of kunstmatige inseminatie of IVF ofzo?'

Van wat Ben daarna vertelde, onthield ze maar één term: oude eierstokken. Hij gaf haar folders mee over de mogelijkheden die er nog waren. Ze bekeek ze door een waas van tranen. Dónoreicellen? Maar het ging er toch juist om dat het van haar... Stiefkinderen had ze al, die hoefde ze niet te baren.

Toen Eric 's avonds thuiskwam, trof hij Wendolyn rokend in de tuin op een stoel. Hij keek er fronsend naar, maar trok toen zijn jas uit en sloeg die om haar heen. Hij ging naast haar zitten en toen vertelde ze hem hakkelend over Bens oordeel. Bens veroordeling. Ze keek opzij, naar Erics gezicht. Wat was dat - medelijden? Verbazing? Opluchting?

Eric schraapte zijn keel.

'Jij in de overgang? Maar je ziet eruit als vijfentwintig!'

Dat was lief en niet waar. Ze was niet meer zo fris en strak, ondanks de sportschool waar Heleen en zij tijd voor probeerden te maken. En ze had ook al een leesbril, en als ze de kapper niet had gehad was ze grijs geweest, en ze was al begonnen met dagcrèmes voor de rijpere huid...

'Toch is het zo,' zei ze diepbedroefd.

Hoe rouw je om iets wat niet is geweest? Een week later ging ze weer naar haar psychiater en vertelde alles.

Annejet luisterde geduldig en stelde de goede vragen, maar zei uiteindelijk: 'Heb je weleens aan adoptie gedacht?'

Wendolyn keek haar aan. Annejet had makkelijk praten, zij wist niet hoe het voelde – zij met haar drie dochters: volkomen natuurlijk, allemaal gepland en gewenst en gezond en gelukkig. Zij wel. Zo zou Wendolyn voortaan vrouwen indelen, besefte ze: die met en die zonder.

'Daar gaat het niet om.' Ze probeerde met een tissue uit de doos de tranenvloed te stelpen. 'Ik wou zelf een kind. Een kind van mezelf. Daar ging het om.'

Annejet zweeg.

'Dat is toch legitiem? Die wens is toch zo oud als de wereld?'

'Mm-mm,' zei haar psychiater.

'Dat is toch mijn goed recht? Dat is toch niet te veel gevraagd?'

Annejet was stil. Wendolyn snoot haar neus en keek door het raam naar het speeltuintje aan de overkant van de straat. Er stonden een klimrek, een wipkip en een miniglijbaantje, maar kinderen waren er niet.

'Ik ben natuurlijk gewoon veel te laat... Ik had op mijn twintigste zwanger moeten worden.' Ze lachte even bitter. 'Dan was mijn dochter nu zelf in de twintig. Ging ze al op kamers, of stel je voor: dan had ik al oma kunnen zijn.' En ze begon opnieuw te huilen, in de wetenschap dat ook dát haar was afgepakt: oma worden.

'Wat zegt Eric?' vroeg Annejet.

Wendolyn vertelde over haar vermoeden dat Eric stiekem opgelucht was, hoewel hij dat natuurlijk ontkende als ze ernaar vroeg.

'Misschien is dat jouw perceptie?'

Ja, natuurlijk, dacht Wendolyn opstandig, maar haar perceptie kon ook best kloppen! Eric zou het natuurlijk nooit toegeven;

145

hij zou altijd zeggen dat hij het haar had gegund, een eigen kind, en hij zou zelfs zeggen dat hij zich er ook op had verheugd, maar toch... Ze voelde zich ineens peilloos diep alleen. Moederloos. Kinderloos. Moedeloos. Wat had het allemaal voor zin?

'Er zit niemand op mij te wachten,' zei ze tegen Annejet.

'Eric wacht op je. De kinderen van Eric wachten op je.'

Verdrietig haalde Wendolyn haar schouders op en nam afscheid.

Toen ze de auto voor het huis aan de Parnassusweg parkeerde, ging ze niet naar binnen, maar liep het hele eind naar de ingang van de begraafplaats en wandelde daar wat rond tussen de graven. Goeie plek om te huilen om wat was en wat niet was, en niet was geweest en waarschijnlijk nooit zou zijn. Niemand die hier opkeek van een paar tranen. Men zegt dat bevallen pijnlijk is. Moet je niet-bevallen eens proberen.

Ze sjokte langs de graven, in feite rouwend om iemand die er nooit zou zijn. Ergens stond Bertje een perkje te schoffelen dat vol stond met planten met een roodachtig blad. Dahlia's, fluisterde haar moeder.

'Hallo, Bert,' zei ze toen ze langs hem liep. De knul schrok, maar misschien was dat wel logisch als er je hele leven dingen aan je werden gevraagd waarvan je de bedoeling, reden of consequentie niet kon overzien. Wendolyn schrok dit keer echter ook, want over Bertjes besmeurde gezicht biggelde een traan en er liep snot uit zijn grote neus.

'Wat is er, Bertje?'

'Ik heb niets gedaan!' zei Bertje.

Ze keek naar het dahliaperk en zag dat er op de zwarte aarde tussen de planten een klein vierkant van witte kiezeltjes lag. Verbaasd zakte ze op haar hurken en zag in het midden van het witte vierkant een heel klein bosje verwelkte bloemetjes liggen. Madeliefjes en klaver.

Bert liet zijn grote lijf ook zakken.

'Is dat ook een grafje?' vroeg ze. 'Ben je daarom verdrietig? Ligt daar een dood vogeltje?'

'Neuhneuhneuh,' steunde Bert, en tot Wendolyns schrik begon hij met zijn blote handen de kiezeltjes opzij te schuiven en in de zwarte aarde te graven.

'Laat maar, Bertje,' zei ze haastig. 'Ik hoef niet te zien wat daar ligt.' Ze was Daniëlle niet!

Maar Bert groef door. Wendolyn huiverde toen hij met zijn blote vingers een vette roze regenworm oppakte en achteloos tussen de dahlia's wierp. Hij hoefde niet diep te graven om te vinden wat hij zocht. Het bleek inderdaad een grafje – een grafje voor een tamagotchi.

Wendolyn deed haar uiterste best om niet in de lach te schieten.

'Deed-ie het niet meer?' vroeg ze. Ze wilde ook nog zeggen dat er misschien nieuwe batterijen in hadden gemoeten, maar toen ze het modderige ding bekeek, besefte ze dat ze dat beter niet kon doen.

'Neuhneuhneuh,' zei Bertje. 'Dood is dood.'

Dat had hij hier wel geleerd, natuurlijk. Hij legde de tamagotchi terug in het graf, dekte hem weer toe en legde de kiezelsteentjes weer netjes neer.

'Ja, Bertje,' zei Wendolyn. 'Dood is dood. Dat hoort bij het leven, hè?'

Bertje veegde het snot van zijn neus en stond op.

'Zal ik een nieuwe voor je kopen?' vroeg Wendolyn, terwijl ze ook overeind kwam. 'Dan neem ik die de volgende keer mee.' Ze wist eigenlijk niet zeker of tamagotchi's nog wel verkrijgbaar waren; het meest merkwaardige aan hypes was dat ze spoorloos verdwenen.

'E-een nieuwe?' zei Bertje, duidelijk verward. 'Maar dat is toch niet de-déze?'

Bertjes verdriet was echt, net zo echt als het hare. Haar verdriet ging niet over iemand die er was geweest, Bertjes verdriet niet over een stuk plastic met batterijtjes – iets inwisselbaars –, maar over de liefde voor deze ene roze tamagotchi, die zo lang in zijn broekzak had gewoond en nu de eeuwige rust had gevonden. Als Bertje tenminste niet elke keer het graf openlegde.

Ze nam afscheid en liep peinzend terug. Een róze tamagotchi?

Die avond werd Eric weggeroepen naar het ziekenhuis, en toen Daniëlle naar bed moest, ging Wendolyn met haar mee naar boven. De periode van instoppen was eigenlijk al voorbij, maar ze raapte wat kleren en een sok van de vloer en zei langs haar neus weg: 'Ken jij Bertje? Van de begraafplaats?'

Ze keek naar Daniëlles gezicht. Zag ze onbegrip? Schrik?

Daniëlle trok het dekbed op tot haar kin.

'Nee,' zei ze, en ze draaide haar gezicht naar de muur.

Wendolyn ging op de rand van het bed zitten.

'Weet je nog dat je vorig jaar die schedel had?'

'Ja...' zei Daniëlle aarzelend.

'Had je die van Bertje?'

Daniëlle zweeg, en dat was antwoord genoeg. Een schedel geruild voor een roze tamagotchi.

Wendolyn stond op en maakte aanstalten om de kamer te verlaten, toen Daniëlle ineens zei: 'Die schedel, die lag daar dus gewoon. Maar dat kon Bertje niet helpen, dat die daar lag, dat heeft-ie zelf gezegd. Dus je mag niks tegen papa zeggen en ook niet tegen mama, want dat heb ik Bertje beloofd en dat moet jij nu ook beloven.'

Vanuit haar bed keek het meisje Wendolyn strak en ernstig aan.

O god, dacht Wendolyn, het is echt waar.

'Oké,' zei ze uiteindelijk. 'Maar doe dat alsjeblieft niet nog een keer, wil je?'

148

Toen ze naar beneden liep, hoorde ze Eric thuiskomen. Ze bleef halverwege de trap staan en ging op een tree zitten. Ze kon straks toch moeilijk Eric níét vertellen wat ze nu wist? Eric moest het weten, en Olga ook; het ging tenslotte om hun dochter. Maar wat als Daniëlle erachter kwam dat Wendolyn het had doorverteld? Misschien voelde ze zich dan zo verraden dat ze haar nooit meer in vertrouwen zou nemen. Hoe had ze het zich ook alweer voorgesteld, die eerste keer dat ze hierheen reed? Toen leek het haar toch zo leuk, dat de kinderen haar als vriendin zouden gaan beschouwen, bijvoorbeeld wanneer ze een keer boos waren op papa of ruzie hadden met mama? Nu dacht ze: wat als ik erachter kom dat Lisa spijbelt of dat Daniëlle jat, of dat Jasper stiekem bier drinkt? Wat doe ik als ik niet een mensenschedel maar een joint of een partypil onder een van de bedden vind, of een condoom? Wat als... een van de meiden me toevertrouwt dat ze zwanger is?! De schrik sloeg haar om het hart en het leek haar ineens helemaal niet meer zo aantrekkelijk om steun en toeverlaat te zijn.

Ze stond op van de traptrede en liep verder naar beneden. Ach, Eric was dat hele gedoe met die schedel waarschijnlijk allang vergeten. Ze kon dus best haar mond houden. Die schedel was allang... Waar was hij eigenlijk? In de gangkast stond geen vuilniszak meer met daarin een doos met daarin een vuilniszak met daarin... Ze vroeg Eric ernaar en hij lachte.

'Hoezo?' vroeg hij.

'Wat heb je ermee gedaan?'

'Over de coniferen gegooid in de richting van de begraafplaats,' zei hij, en ze keek hem een moment verbijsterd aan. Hij lachte weer en gaf haar een kus op haar neus.

'Grapje. Ik heb hem netjes teruggebracht. Hij leek me bij de achterburen meer op zijn plek dan hier in de gangkast.'

En toen vertelde ze hem toch maar over Bertje, en over Daniëlle en de tamagotchi.

149

'Jezus!' zei Eric geschrokken en hij stond op. 'Ik ga met haar praten.'

'Nee! Dat kan niet, want jij weet niets. Ik heb jou niets verteld, dat heb ik beloo–'

'Wendolyn, wat een onzin!' zei hij op de toon die ze hem ook weleens tegen de kinderen hoorde gebruiken.

'Hállo!' zei ze stekelig. 'Ik ben je dochter niet. Daniëlle heeft het mij in vertrouwen verteld en ik heb haar beloofd dat ik niets zou zeggen.'

'Daniëlle is mijn verantwoordelijkheid.'

'O ja? Zoek het dan lekker zelf uit.' Ze liep naar de hal om haar jas te pakken.

'Wat ga je doen? Waar ga je heen?' riep hij haar achterna.

'Weg,' zei ze. Ze liep naar buiten, sloeg de voordeur achter zich dicht, stapte in haar auto en vroeg zich toen af waar ze naartoe zou gaan. Naar Heleen? Naar Klara? Ze besloot naar haar vader te rijden.

Onderweg stopte ze tien minuten op een parkeerplaats, omdat de tranen haar het zicht zo belemmerden dat het gevaarlijk werd. Uiteindelijk snoot ze haar neus en reed verder, al iets milder gestemd. Haar verdriet ging uiteindelijk niet om Eric; het ging om dat kind dat niet meer zou komen. En Eric deed ook alleen maar zijn best... Wat zou er eigenlijk gebeuren als zijn kinderen weer bij hun moeder gingen wonen? Waren er dan weer papaweekends? En wat gingen Eric en zij dan doen? Het was de vraag of het haar zou lukken om door te groeien in haar werk; er stond allang een nieuwe generatie te dringen en er waren pessimisten die opnieuw een recessie voorspelden, bijvoorbeeld door de naweeën van de terreur in de Verenigde Staten die tot omstreden oorlogen had geleid. Kostbare oorlogen, zowel in geld als in mensenlevens. Er waren ook voortdurend sombere deskundigen die beweerden dat de hele economie uit zeepbellen bestond. In feite reed ze er nu tussendoor: links en rechts van de snelweg grijnsden helverlichte kantoorpanden haar aan, sommige leeg. Wat gebeurde er met die megalomane gebouwen als er een einde kwam aan de groeieconomie? Bleven ze staan en brokkelden ze langzaam af? Ramen kapot, daken gescheurd, doelloos, nutteloos, waardeloos, tot de natuur ze langzaam terugveroverde als kadavers in ontbinding?

Alice liet haar verwonderd binnen, want het was al laat. Wendolyn zat een tijdje tegenover haar vader, negeerde het gezoem van de mobiele telefoon in de tas naast haar en keek diep in haar vaders ogen. Ze zocht hem, maar zijn blik was leeg en zielloos. Hij keek langs haar heen, en alleen wanneer de paro zich liet horen leek hij even thuis en twinkelde er iets vaags in zijn blik.

'Papa?' zei Wendolyn.

'Hij herkent je niet. Hij herkent mij niet eens als ik hem 's morgens wakker maak,' zei Alice op een toon alsof ze vertelde hoe laat de trein vertrok.

'Papa, ik ben het. Je dochter.'

Haar vaders linkerhand schoof van de stoelleuning naar de kop van de paro op zijn schoot.

'Het heeft geen zin. Wil je koffie?' vroeg Alice.

Wendolyn tilde de rechterhand van haar vader op en aaide die zachtjes. De hand die ooit haar tranen had gedroogd, het haar uit haar ogen had gestreken, haar neus had afgeveegd met de grote witte zakdoek die hij altijd in zijn broekzak had.

'In die hand voelt hij niks,' zei Alice.

'Vind je het erg om ons even alleen te laten?' vroeg Wendolyn geërgerd.

'Wat nou?' Alice leek gepikeerd. 'Hij is echt niet anders als ik er niet ben, hoor.'

Wendolyn keek haar aan.

'Ja, koffie,' zei ze. 'Met opgeklopte melk, graag.' Dat zou haar even bezighouden.

Alice opende haar mond, sloot hem weer en liep naar de keuken. Ze liet de huiskamerdeur openstaan, maar Wendolyn stond op en deed hem dicht.

'Papa,' zei ze toen ze weer tegenover haar vader zat. Ze voelde een traan over haar wang lopen. 'Papa, is het waar? Wilde je kleinkinderen? Nam je het me kwalijk dat ik ze je niet gaf?'

Haar vader zweeg en keek naar de paro.

'Het gaat nu niet meer, pap. Ik was te laat. Stom, hè?'

Nog een traan. De mobiele telefoon zoemde opnieuw.

'En nu heb ik ook nog ruziegemaakt met Eric, pap. Dat is ook stom. Hij is de enige die ik nog heb. Ik heb verder niemand meer... Had ik eigenlijk nog een broer of een zus kunnen hebben? Hadden jullie meer kinderen gewild?'

Ze boog zich naar voren en legde haar hoofd onhandig tegen de schouder van haar vader. Alleen de paro reageerde op de beweging.

'Ik heb je te veel niet gevraagd, pap. Over jou, over jullie huwelijk, over je keuzes in het leven,' fluisterde ze in een groot, harig oor. De huiskamerdeur ging open.

'Zo,' zei Alice zuur. 'Koffie met opgeklopte melk voor mijn stiefdochter.' Wendolyn verslikte zich, de paro zei 'Oeh' en Wendolyns vader 'Uh'. Wendolyn stond op.

'Ik wil een paar schriftjes van mijn moeder meenemen,' zei ze. 'Weet jij misschien waar die zijn?'

'Op zolder, denk ik,' zei Alice schouderophalend.

Ze bleken niet op zolder te liggen, maar nog steeds in de la van haar vaders bureau. Wendolyn liet haar blik over het glanzende mahoniehouten bureaublad gaan en zag haar eigen foto staan. Verder was het leeg, op een stempelkussen en een pennenbakje na. Ze herinnerde zich de stapels papieren en ordners die vroeger op haar vaders bureau hadden gelegen. In de onderste la zaten negen schriftjes, en Alice gaf haar een plastic tas om ze in te stoppen. Ze bleef erbij staan kijken, waardoor Wendolyn het gevoel kreeg dat ze iets illegaals deed. Misschien dacht haar 'stiefmoeder' dat Wendolyn stiekem de Mont Blanc-vulpen van haar vader in de tas zou laten glijden? Ze ging rechtop staan en streek haar haar achter haar oren. In principe had ze recht op die vulpen. Maar ze ging er geen ruzie om maken.

Toen Wendolyn terugkwam op de Parnassusweg, zag ze door het raam dat Eric op haar zat te wachten. Hij stond haastig op, deed de voordeur open, zei: 'Goddank', en sloot haar in zijn armen.

'Sorry,' zei hij. 'Dat was stom. Sorry, sorry, sorry.'

'Het is wel goed,' zei ze.

'Waar was je?'

'Bij mijn vader.' Ze liet met een plof de tas met schriftjes op de grond vallen.

Eric schonk een glas wijn voor haar in en trok haar naast zich op de bank. De houtkachel brandde; hij had zelfs een kaars aangestoken en Wispel lag in een bolletje in een hoekje van de bank te slapen. Rust en vrede en huiselijkheid...

'Natuurlijk moet jij met de kinderen doen wat jij denkt dat goed is,' zei Eric. 'Natuurlijk heb jij daar jouw verantwoordelijkheid in.'

'Het is wel goed,' zei ze nog een keer.

'Nee. Het is helemaal niet goed,' zei hij somber.

'Kom op, Eric. Zo erg was het nou ook weer niet.' Nu was zij degene die hem omhelsde.

'Dat is het wel,' hoorde ze in haar nek. 'Je weet niet half hoe erg het is.'

Verbaasd wachtte ze op meer, ineens met een naar gevoel in haar buik. Ze liet hem los.

'Wat weet ik niet?'

'Niks,' zei Eric, en hij keek naar de plastic tas die Wendolyn op de grond had laten vallen.

'Wat zit daarin?'

153

'Eric, wát weet ik niet?'

Hij slikte zichtbaar en zei uiteindelijk: 'Het spijt me zo...' Het nare gevoel in haar buik nam toe.

'Wat?' Had hij er spijt van dat hij met haar was getrouwd? Of... 'Ben je vreemdgegaan?'

Dat kon ze er vanavond nog wel bij hebben. Een verpleegster? Kekke coassistente?

Erics blik ging van de plastic tas naar haar gezicht en hij begon te lachen.

'Natuurlijk niet! Waarom zou ik? Met wie? Ik hou van jou!' Hij schoof weer dicht tegen haar aan.

'Ik ben juist bang dat je me verlaat,' mompelde hij.

'O,' zei ze opgelucht. Was dat het. Het nare gevoel in haar maag verdween enigszins. 'Ben je gek. We zijn net getrouwd.' Ze lachte.

'Ik kan het niet alleen, Wendolyn,' zei hij.

'Je hoeft het niet alleen.' Ze legde haar hand op zijn bovenbeen. Raar, dacht ze. Toen ik vanavond wegreed ging het toch echt over mijn frustratie, en nu ineens gaat het over de zijne.

Een paar maanden later, op een warme juniavond, spreidde Wendolyn eindelijk de schriftjes van haar moeder voor zich uit op de tuintafel. Negen bonte kaftjes, één met poesjes erop. Ze herinnerde zich dat ze dat haar moeder ooit had gegeven voor een verjaardag.

Eric kwam bij de tafel staan.

'Wat zijn dat?'

'Die zijn van mijn moeder. Ik wilde ze maar eens gaan lezen.'

Hij pakte een van de schriftjes op en bekeek het nieuwsgierig. 'Heb je ze nooit gelezen?'

'Nee.'

'Waarom niet? Ik bedoel, in het geval van jouw moeder...'

'Ze zijn nauwelijks te ontcijferen. Kijk maar.' Ze bladerde

door een van de schriftjes: pagina's vol priegelhandschrift. 'Volgens mij zijn het vooral plannen voor haar tuinen en recepten.'

'O.'

Wendolyn liet haar hand strelend over de kaftjes gaan. Mama, dacht ze.

Eric ging zitten.

'Ik heb van mijn ouders alleen nog het stempelkussen van mijn vader,' zei hij ineens.

Wendolyn dacht aan het stempelkussen dat ze op het bureau van haar eigen vader had zien staan. Het was niet in haar opgekomen om juist dat mee te nemen.

'Een stempelkussen? Waarom dat?'

'Het waren simpele stempels...' zei Eric. Hij zweeg abrupt en keek naar de nog altijd kale borders in de tuin. De tulpen en de ui die Wendolyn en Daniëlle ooit hadden geplant, waren spoorloos verdwenen.

'Hm...?' zei Wendolyn afwezig, terwijl ze keek of ze een volgorde in de schriftjes kon ontdekken. Ze wilde naar haar moeder, niet naar Erics vader. 'Stempels?'

'In de oorlog kon een stempel je lot bepalen.'

Och jee, dacht Wendolyn. De a van *Arbeitseinsatz*, de J van Jood, de d van dood? Ze vond hier en daar data in de schriftjes.

'Dus ik bewaarde dat kussen als een reminder.'

'Aan je vader?'

'Nee, het ging er meer om dat ik goed na zou denken over mijn eigen keuzes... Nu. Vandaag. Dat vermaledijde stempelkussen moest me daaraan helpen herinneren.'

'Waar is het dan? Op je spreekkamer?'

'Nee, het ligt ergens boven.'

Wendolyn legde de schriftjes nu in volgorde van de data die ze had ontdekt.

'Ik blijk me zonder dat ding ook wel bewust van mijn keuzes,' zei Eric. Hij klonk onverwacht bitter, maar Wendolyn besloot dit keer geen aandacht te besteden aan het gesloten deel van haar man en boog zich over het gesloten deel van haar moeder. Ze zette haar laptop op tafel en sloeg het eerste schriftje open. Bladzij één. Een recept voor *sajor lodeh*. Koolsoep. Wie at er nog koolsoep tegenwoordig? Ze zag dat Eric in de stoel naast haar zijn ogen had gesloten. Sliep hij? Hij was moe, wist ze, net als zij. Moe van het werk, moe van het bestieren van een huishouden met drie kinderen, moe van het vooruitdenken en het plannen en het repareren van wat er misging in huis en in agenda's. Een boiler die ging lekken net op het moment dat Wendolyn cliënten had, een dienst van Eric die samenviel met een uitwedstrijd van Jasper, een kind met koorts net wanneer er nog duizend andere dingen speelden...

Eric deed zijn ogen open.

'Wendolyn...' zei hij.

Argwanend keek ze op. Als Eric zo begon, dan wist ze dat er een verzoek kwam waarvan hij niet zeker wist of ze het zou honoreren. Ze leunde achterover in de tuinstoel en sloeg haar armen alvast defensief over elkaar. Of ze morgen boodschappen kon doen? Of ze de kinderen naar de tandarts wilde brengen? Of ze de fiets van Jasper – alweer – bij de fietsenmaker wilde ophalen, of kostuums wilde naaien voor Daniëlles musical op school? De ernstigste verzoeken waren die om iets te doen waar Eric zelf tegen opzag: met Jasper praten over te lang gamen of Lisa om één uur 's nachts van een schoolfeest ophalen.

Eric keek haar ernstig aan, zonder het George Clooney-lachje dat hij nog steeds tevoorschijn kon toveren. Toen vertelde hij dat Olga haar huis ging verkopen, het huis dat van haar en Eric was geweest. Ze wilde helemaal opnieuw beginnen, met Jamie en Annabel, en Jamie had een gelijkvloers huis nodig, want traplopen kostte hem steeds meer moeite. Het was alleen de vraag, zei Eric, of de overwaarde van het oude huis groot genoeg was voor de aankoop van een gelijkvloers huis dat groot genoeg was voor al haar kinderen. Hypotheekverstrekkers stonden nu eenmaal niet bepaald in de rij voor een geval als Jamie.

'Dus,' zei Eric. Hij keek ongelukkig.

'Dus wat?' vroeg Wendolyn, en ze besefte toen: de kinderen blijven. De kinderen zouden op de Parnassusweg blijven wonen, in dit huis. Niet nog even, maar voorgoed, of in elk geval tot ze volwassen waren. Alleen in de weekends zouden ze af en toe naar Olga gaan. En wie was Wendolyn om die plannen te dwarsbomen? De plannen rond inmiddels vier kinderen, en godbetert een gehandicapte?

'Het is nog maar voor een paar jaar,' zei Eric. 'Dan zijn ze vast allemaal het huis uit.'

Een paar jaar?! Daniëlle moest nog aan een vervolgopleiding beginnen; die was echt nog lang niet zelfstandig! En Jasper moest eerst maar eens zijn eindexamen halen, als hij al overging dit jaar.

Zwijgend stond ze op, liet haar schriftjes in de steek en liep naar de andere kant van de tuin. In haar broekzak zocht ze naar haar sigaretten. Eric zou er nu toch niets van durven zeggen.

Ze vond het niet eerlijk. Waaraan had zij nou dat soort dillema's verdiend? Bleek ze zelf te laat te zijn voor een eigen kind en dan werden haar hardhandig drie van een ander door de strot geduwd.

Na een paar minuten maakte ze haar sigaret uit en liep weer naar de tafel. Al die tijd had Eric gezwegen. Ze pakte het eerste schriftje weer op. *Soto ajam*, las ze. *Ui en knoflook fruiten, water erin met selderie, koenir, ketjap, zout, djaé (mespuntje) en de kip. Met prei, verse selderie en taugé. Paultje was er verzot op.*

Paultje? Wendolyn kende geen Paultje; haar moeder had het nooit over een Paultje gehad, en ook uit de verhalen van haar oma herinnerde Wendolyn zich de naam niet. Wie was Paultje? Niemand meer om dat aan te vragen, dacht ze. Geen oma, geen moeder, niet haar vader...

De volgende dag reed ze weer naar hem toe. Alice keek verbaasd en een beetje geïrriteerd dat Wendolyn nu alweer onaangekondigd voor de deur stond.

'Ik moet hem iets vragen,' zei Wendolyn.

Alice keek sceptisch, en daarin had ze gelijk. Toen Wendolyn haar vader had begroet en tegenover hem was gaan zitten, vroeg ze: 'Papa, wie was Paultje?'

'Uh, uh,' zei haar vader.

'Oeh, oeh,' zei de paro.

Meer kwam er niet uit en Wendolyn gaf het al snel op. Het enige wat ze kon doen was thuis de bladzijden met kriebelige lettertjes verder ontcijferen en hopen dat haar moeder ergens, verstopt tussen de gado gado en de lalap, tussen het plantseizoen van bollen en de oogsttijd van spruiten, iets meer zou vertellen over deze onbekende Paultje.

Een paar maanden later belde Alice haar.

'Je vader is dood,' zei ze. Hij was heel zachtjes en vredig weggegleden; in feite had Alice pas ontdekt dat haar man dood was toen hij op het vertrouwde 'Oeh, oeh' van de paro geen 'Uh, uh' meer had gezegd.

Wendolyn luisterde naar de woorden en besefte dat ze een groot deel van de rouw al achter de rug had. Haar vader was allang weg – haar echte, eigen vader, niet die vleugellamme man met die interactieve knuffel op schoot.

Vlak voor de crematie, vier dagen later, legde Alice de paro in de kist. Daar kreeg ze later nog moeilijkheden om, want het ding bleek een duur, experimenteel leenproduct van de instantie waar ook haar vaders rolstoel, luiers en steunkousen vandaan waren gekomen.

III

Necoro

9

Terwijl ze koud water over haar polsen liet lopen, keek Wendolyn door het openstaande keukenraam de tuin in. Het was september, en toch nog bijna dertig graden: de planten die nu overal in de tuin stonden hingen er slap bij. Moe van de zomer, moe van de warmte. Te midden van de planten zat Daniëlle gehuld in een lange zwarte jurk in de zon met haar kat te spelen. Het beest spinde zo luid dat Wendolyn het binnen kon horen. 'Knekeltje' noemde Daniëlle de kat liefdevol, hoewel hij geen knekels had. Het was niet eens een kat. Knekeltje had alleen ongeveer het uiterlijk van een kat; hij was gehuld in een acrylversie van een kattenvacht en was geprogrammeerd als kat. Officieel was het een 'Necoro', een peperdure Japanse computerkat, die Daniëlle vorig jaar had gewonnen bij een of andere kunstwedstrijd voor jongeren. Eerste prijs... Niemand in huis had van het bestaan van de wedstrijd geweten, en al helemaal niet dat Daniëlle eraan meedeed: nog maar net dertien, had het meisje zonder het met iemand te overleggen gelogen over haar leeftijd en helemaal zelfstandig een filmpje gemaakt van een van de fragiele mobiles die op haar kamer hingen. Er hingen tegenwoordig ook her en der van die mobiles in de tuin, waar vooral de holle vogelbotjes vriendelijk tokkelden wanneer ze door een windvlaag werden beroerd. Daniëlle had een bestemming gevonden voor haar verzameling botten en schedeltjes. Schoenendozen vol had ze gehad, toen ze zomaar op een dag was begonnen om de botjes te selecteren en aan vissnoer en dun koperdraad te knopen. Ze schikte vogelbotjes in de vorm van vogels en gaf ze muizenklauwtjes; ze schikte muizenbotjes in de vorm van muizen en gaf ze vleugels... Het resultaat was bizar, frêle en fascinerend. Het werd nu iedereen duidelijk dat er een kunstenaar was geboren.

Wendolyn keek omlaag toen ze haar echte kat Wispel langs haar blote benen voelde strijken. Wispel wilde eten. Die was ook geprogrammeerd: als Wendolyn in keuken dan eten, als eten dan goed. Bij Wispel was die informatie echter opgeslagen in een brein dat, hoewel niet veel groter dan een walnoot, toch oneindig complexer en mysterieuzer was dan het bundeltje o en 1 geprogrammeerde chips van de necoro.

Door het raam zag Wendolyn dat de bewegingen van de computerkat traag en houterig werden.

'Ik denk dat hij aan de oplader moet, Daniëlle,' riep ze door het open raam. Het meisje stond op, streek een paar bezwete haarlokken uit haar ogen en kwam de keuken in.

'Zou je niet iets luchtigers aantrekken, iets wat minder lang en zwart is?'

'Dat doen ze in Arabische landen ook niet. En daar leven ze al eeuwen in een hete woestijn.'

Wendolyn draaide de kraan dicht. Daniëlle was nu veertien, oud en wijs genoeg, en ze moest het zelf maar weten, maar soms vroeg Wendolyn zich af of het kind misschien meer van Olga aannam, of ze met haar echte moeder minder vaak in discussie ging dan met haar en met Eric. Niet, waarschijnlijk.

Ze zag dat Daniëlle de necoro uitzette, de plug van de oplader in een gaatje in zijn buik stak en de stekker in het stopcontact. De kat werd op de keukentafel gelegd, waar hij languit liggend zijn ware aard toonde: levenloos.

'Hoe laat komt Jasper thuis?'

'Zo meteen, denk ik,' zei Wendolyn. Ze maakte een blikje open voor Wispel, lepelde het kattenvoer in een bakje en zette dat op de grond. Toen pakte ze een braadpan en zette die op het vuur.

Jasper was begonnen met zijn studie politicologie in Leiden. Het was een keuze die Eric en Wendolyn veel meer had verwonderd dan de kunstenaarsambities van Daniëlle. Politicologie? Sinds wanneer had Jasper interesse in politiek? De belangstelling was voor Eric en Wendolyn in elk geval niet zichtbaar geweest: de krant las hij nauwelijks, naar het journaal keek hij niet, en evenmin naar de actualiteitenrubrieken en de documentaires waar Eric en Wendolyn naar keken. Behalve toen met de moord op Pim Fortuyn... Ook toen zat Jasper weliswaar niet aan de televisie gekluisterd, zoals zijn vader en stiefmoeder, maar hij zat achter de computer, waarop hij opgewonden met al zijn vrienden communiceerde, blogs las en MSN-berichtjes uitwisselde. Was zijn interesse in politiek toen misschien ontstaan?

In elk geval had Jasper een kamer gezocht in Leiden en nu was hij om het weekend op de Parnassusweg. Het andere weekend ging hij met zijn zussen naar Olga. Schijnbaar moeiteloos pendelde hij heen en weer tussen zijn kamer, het huis aan de Parnassusweg en de opklapbedden in Olga's huis: daarbij vergat hij voortdurend boeken, sleutels, sokken en opladers – die lagen op het ene adres terwijl hij op het andere verbleef, maar dat leek hem nauwelijks te storen.

Wendolyn dacht terug aan de tijd dat zij tussen twee huizen heen en weer had gereden, haar flat en de Parnassusweg, maar zo gefrustreerd als zij zich in die tijd soms had gevoeld omdat de melk op het ene adres zuur stond te worden terwijl ze hem op het andere nodig had, zo makkelijk ging Jasper met de situatie om, schouderophalend en improviserend. Hij pikte de telefoonoplader van Lisa of Daniëlle, kocht voor een paar euro een nieuw T-shirt bij H&M, nam de sjaal mee die hij toevallig aan de kapstok vond – als het een niet te belachelijk exemplaar was. De belachelijke sjaals bleven hangen.

Ach, het grootste deel van het leven van de kinderen was toch online. Ze hadden inmiddels alle drie een eigen laptop ('Maar dat móét, pap. Voor school!') en hadden daarmee binnen bereik wat voor hen van werkelijke waarde was: e-mail, de werkstukken die ze aan het schrijven waren, les- en collegeroosters, spelletjes, het dienstrooster van de NS, telefoonnummers en een routeplanner. Op de laptop waren ze thuis. Naar de gewone televisie keken ze nog nauwelijks; ze zaten wel voor de gezelligheid in de huiskamer als de tv aanstond, maar waren in werkelijkheid aan het chatten met vrienden of speelden een spelletje met een gamer in Japan.

Eric kon er slecht tegen. Als hij een nieuw mobieltje kreeg van het ziekenhuis, begon hij met het lezen van het boekje met de gebruiksaanwijzing terwijl achter zijn rug de kinderen het mobieltje aanzetten en er een gave ringtone op installeerden, en 's avonds mopperde hij: 'Ik kijk naar een Berlijnse Muur van opengeklapte laptops.' Hij vond dat er geen gesprek meer met de kinderen te voeren viel, omdat ze met onzichtbare dingen bezig waren.

'Ze zijn getraind in multitasken en horen heus wel wat je zegt,' zei Wendolyn. 'Het is hun wereld.'

'Wat is een Berlijnse Muur?' vroeg Daniëlle vanachter haar laptop.

'Googel dat maar,' zei Wendolyn. Zij weigerde zich te laten imponeren door het virtuele geweld van de eenentwintigste eeuw en deed haar best om het allemaal bij te houden: ze mailde en chatte en shopte op webwinkels... Toch wist ze dat het een beetje van de klokken en de klepels was en besefte ze dat haar generatie de laatste was die niet van kinds af aan met computers was opgegroeid, die nog herinneringen had aan televisie op woensdagmiddag en één telefoon per huishouden: een zwarte, die met schroeven aan de gangmuur vastzat, met een snoer en een draaischijf. Ze moest regelmatig Jasper te hulp roepen om wegwijs te worden op haar eigen computer... Dat was best raar, de eerste keer: de knul die ze ooit vuur had leren maken, liet haar nu fluitend zien hoe ze een nieuw e-mailaccount moest aanmaken.

Net als Eric had ook Wendolyn natuurlijk weleens zorgen over die grote, ontoegankelijke wereld, waarin alle jongeren de weg leken te weten en veel ouderen maar nauwelijks. Ze las in de (papieren) krant over cyberbullying, illegaal downloaden en over de schending van privacy, en dacht een tijdlang dat zij, volwassenen, belangrijke dingen misten in het leven van de kinderen, want wat werd er per mobiel besproken, wat per computer gemsn't en gechat? Dat alles speelde zich af buiten het gezichtsveld van ouders en stiefouders, en je kon er niet eens iets van zeggen, want de kinderen werden geacht zelfs schoolwerkstukken te printen, voorzien van keurig ingepaste kleurenfoto's. *Copy en Paste*. In Wendolyns schooltijd ging dat nog met een schaar en een pot lijm. Pc, gsm en mp3-speler werden natuurlijke extensies van mensen, als een paar extra ogen en oren.

Ze deed wat olie en een klontje boter in de pan op het vuur, en toen het mengsel heet genoeg was, liet ze er karbonaadjes in glijden. Dat kon ze nu. Karbonaadjes bakken. Ze liep zelfs de tuin in om rozemarijnblaadjes te plukken.

De rozemarijn was niet moe van de warmte, maar geurde juist intens. Daniëlle had zich inmiddels in de schaduw teruggetrokken en zat over het schermpje van haar mobiele telefoon gebogen, in contact met wie weet...

Het was nota bene Lisa geweest die Wendolyn enigszins had gerustgesteld en haar een klein college virtueel netwerken had gegeven. In een vlaag van openhartigheid liet ze op een avond aan Wendolyn zien waarover ze chatte met haar vriendinnen.

'Maar dat gaat nergens over,' had Wendolyn gezegd toen ze een tijdje had zitten lezen. 'Negentig procent van de tijd hebben jullie elkaar niets te zeggen!'

Lisa grinnikte.

'Negentig procent van de tijd vinden apen geen vlooien, terwijl ze elkaar toch aan het vlooien zijn,' zei ze wijs. Wendolyn keek naar haar en vroeg zich af wat Lisa zou gaan studeren. Sociologie? Wat ze ook bedacht was: goed dat er in Erics jeugd nog geen social media bestonden. Wat zou het jongetje van foute ouders het zwaar te verduren hebben gehad met inboxen vol haatmails en gemene berichtjes.

Terug in de keuken strooide Wendolyn de rozemarijnblaadjes over de karbonaadjes en begon toen sla te wassen. Het was sla uit de tuin. Uit haar eigen tuin... Op basis van de aanwijzingen die haar moeder haar had nagelaten, had Wendolyn de afgelopen twee jaar gespit, geharkt en geplant. Ze was begonnen met eenvoudige salvia, rozemarijn, lavendel en tijm, en in de keuken was ze er met hulp van Klara mee gaan koken. Vandaar die rozemarijn op de karbonaadjes. Later had ze uien geprobeerd te telen, want wat kon er moeilijk zijn aan uien? Toen ze in haar moeders schriften nergens informatie vond over uien, won ze advies in in de winkel van de Turkse groenteboer, want ze nam aan dat meneer Ozgül verstand had van moestuinen. Of misschien was het ook wel haar vooroordeel dat een Turkse groenteboer in Turkije een vader of moeder of minstens een opa of oma had gehad, met een moestuin, kruidentuin of sinaasappelboomgaard... Meneer Ozgül had met zijn handen aangegeven hoeveel centimeter de uien ongeveer uit elkaar moesten komen te staan.

Het eerste jaar had Wendolyn een magere oogst van een paar kleine uitjes, die zo scherp waren dat de tranen in haar ogen sprongen toen ze ze pelde. De sprietjes prei die ze ook had geplant vielen reddeloos om in de straal waarmee ze ze water wilde geven; prille koolplantjes werden verslonden door slijmerige slakken; tomatenplanten weigerden überhaupt te ontkiemen en bonenplanten groeiden tot in de hemel, maar raakten in juni, voor ze bonen konden leveren, overdekt met een vieze laag luizen, alsof ze zwarte netkousen droegen... Alleen de veldsla was in enorme hoeveelheden opgekomen: ze had het gezin aan de Parnassusweg een maand lang elke dag veldsla gevoerd, tot er werd geprotesteerd.

Heleen had hoofdschuddend naar Wendolyns nieuwe hobby gekeken.

'Je hebt mutsen en supermutsen,' zei ze, maar Wendolyn trok het zich niet aan en zette ondanks alle tegenslagen door. Ze kon het niemand uitleggen, maar het was haar manier om dicht bij haar moeder te zijn. Door zaadjes in de grond te stoppen en de eerste groene blaadjes te zien ontkiemen, voelde ze zich meer verbonden met haar moeder dan ooit. Ze werd er blij van en had het gevoel dat ze met haar dode moeder de kleine vreugdes deelde om het oogsten van worteltjes en waterkers, en het verdriet om een bevroren laurier. Het was bijna alsof haar moeder via de tuin alsnog met haar sprak.

Ze was nu dus echter wel genoodzaakt de sla voor vanavond blaadje voor blaadje nauwkeurig te bestuderen om te zien of er niet ergens nog een slak tussen de nerven verstopt zat... Toen ze klaar was, keek ze op de klok. Eric was laat. Hij zou wel weer moe zijn als hij thuis kwam, met op zijn schouders een onzichtbare last: de zorg om zijn patiënten, de zorg om de kinderen, en – wie weet – de zorg om haar. Het was hem natuurlijk niet ontgaan dat Wendolyn nog steeds verdriet had om haar onvrijwillige kinderloosheid. Gelukkig naderde zijn pensioen. Dan zat zijn werk er eindelijk op en waren de kinderen ongeveer af. Had hij zijn taak volbracht en konden ze samen misschien leuke dingen doen, zoals naar exposities in Londen en Berlijn, fietsen in Vietnam of beren kijken in Canada.

167

De voordeur ging open en weer dicht, en Wendolyn hoorde dat Jasper in de gang een volle tas op de grond liet vallen. Wasgoed waarschijnlijk, want er was geen wasmachine op zijn kamer.

'Hai,' zei hij toen hij de keuken in kwam. 'Hoe laat gaan we eten?'

'Als je vader thuis is,' zei Wendolyn. 'Hij had er al moeten zijn. Er zal wel een spoedje tussen zijn gekomen.'

Jasper keek in de pannen die op het fornuis stonden.

'Lekker,' zei hij. 'Karbonaadjes met dennennaalden.'

Lisa bonkte de trap af en kwam ook de keuken in. Haar haar zat warrig opgestoken boven op haar hoofd en viel in losse krullen langs haar jonge gezicht. Ze was met een jaloersmakende vanzelfsprekendheid beeldschoon.

'Haaai,' zei ze tegen haar broer en ze zoende hem op zijn stoppelige wang. Wendolyn keek ernaar en glimlachte. Ach, ze waren nog niet helemaal klaar, maar alles bij elkaar genomen leek het nog niet zo slecht uit te pakken met haar stiefkinderen. Om de horkerigheid die Jaspers puberteit met zich had meegebracht en de bokkigheid van Lisa's puberteit had ze kunnen lachen. Daniëlles puberteit nu vond ze iets lastiger, maar dat was misschien omdat Wendolyn het zelf zo druk had met werk en huis, en nu ook de tuin. Daniëlle kon uren op de bank liggen met veel te zwart opgemaakte ogen en dopjes in haar oren waaruit een constant *tsj-tsj-tsj* klonk. Maar ja, Daniëlle beweerde dat ze zo inspiratie opdeed voor haar Kunst, en daar kon natuurlijk niemand iets tegen inbrengen.

Wendolyn schonk zichzelf een koel glas witte wijn in en zei: 'Kom, dan gaan we in de tuin zitten.' Het werd te vol en te warm in de keuken, nu het kloppend hart van het huis. Er stonden hier tegenwoordig flesjes olie met takjes kruiden in de vensterbank, er waren potjes met zaadjes en blaadjes, er hing een streng knoflook. In de keuken was het in de winter warm, in de zomer was er koud drinken in de koelkast en er was altijd wel iets te eten. In deze keuken had Wendolyn voor haar gevoel de laatste jaren ook het meest 'opgevoed': bij het inruimen van de vaatwasmachine waren er gesprekken gevoerd over levens en liefdes, bij het uitruimen werden bekentenissen gedaan en gebroken harten gelijmd – hoewel Wendolyn de indruk had dat haar stiefkinderen een stuk preutser waren dan zijzelf in haar wilde jaren was geweest.

Telefoon.

Met een zucht stond ze op uit de tuinstoel waar ze net in was gaan zitten en ze liep naar binnen, waar de telefoon naast de necoro op de keukentafel lag. Het was het ziekenhuis, zag ze op het display. Het zou wel een assistent of een coassistent zijn: dat Eric nog even bezig was, dat er iets akeligs was binnen gebracht... Ze nam het gesprek aan en liep met de telefoon aan haar oor terug de tuin in.

'Wendolyn...'

Ze herkende de stem van gynaecoloog Ben, en iets in zijn stem deed haar schrikken.

'Ben? Ben jij dat?'

'Wendolyn, het spijt me zo...'

Een koude hand sloot zich om haar hart.

'Wat is er?'

Ze zag dat Jasper, Lisa en Daniëlle alle drie opkeken, gealarmeerd door haar toon.

'Het is Eric.'

De koude hand om haar hart begon te knijpen.

'Wat is er met Eric?'

'Wendolyn... Hij heeft een hartinfarct gehad.'

Een hartinfarct? Haar lange, rustige neuroloog? Een hartinfarct? Gelukkig was het in het ziekenhuis gebeurd, waar zo ongeveer iedereen getraind was in reanimeren! Die gedachten flitsten door haar hoofd, voordat ze Ben hoorde zeggen: 'Hij is overleden, Wendolyn. Eric is dood.'

Ze liet de telefoon vallen. Ze zag Jasper uit zijn stoel overeind komen, zag Lisa wit worden, zag dat Jasper de telefoon van de terrastegels opraapte en er iets in zei. Ze zag Lisa naar binnen lopen en Jasper de telefoon wegleggen; ze zag dat Daniëlle het vuur onder de karbonaadjes doofde en ze zag ineens de weg naar het ziekenhuis in de avondzon, flats en neonreclames, het verbeten gezicht van Jasper, zijn jonge handen op het stuur van haar auto, de knokkels wit. Ze voelde de hand van Daniëlle of Lisa op haar schouder en zag toen lange witte gangen en lichtgroene deuren, en uiteindelijk haar man. Stil en levenloos, onder een dunne witte deken in een ziekenhuisbed.

'Maar...' fluisterde ze ontsteld, 'ik kan helemaal niet zonder je.'

Jasper belde Olga, die meteen naar het ziekenhuis kwam. Lisa en hij klemden zich aan hun moeder vast, terwijl Daniëlle stil en wit in een hoekje bleef staan en onafgebroken naar haar dode vader staarde. Uiteindelijk gingen ze allemaal samen terug naar de Parnassusweg, waar Ben en zijn vrouw Mirjam even later ook kwamen, terwijl Wendolyn stijf en recht op een stoel zat en toekeek en nu wist wat wezenloos was. Ze was veel te leeg en veel te ver weg om te huilen. Ze moest Eric spreken, dacht ze vaag. Ze wilde hem vragen wat ze nu moest doen, wilde met hem overleggen over hoe ze dit moest aanpakken. Wie moesten er allemaal gebeld worden? Wie gewaarschuwd? En wilde hij ook een glaasje wijn?

'Hij moet naar huis komen,' zei ze. 'Ik wil hem thuis.'

Iedereen keek op toen ze haar stem hoorden, en de kinderen knikten met betraande ogen. Ben hielp Jasper om het te regelen: er werd een uitvaartonderneming gebeld, die nog diezelfde avond iemand langs stuurde zodat er in een kleurenfolder een kist uitgezocht kon worden, en daarna gingen Lisa en Daniëlle naar boven en pakten de kleren die Eric aan moest. Een grijs pak met een lichtgrijze stropdas... Tot zover ging het nog, maar de meiden eindigden in tranen toen ze ook sokken en schoenen moesten uitzoeken.

Morgen kwam hij thuis. In de kist. Samen met Lisa zette Jasper in de voorkamer de eettafel alvast aan de kant, terwijl in de achterkamer Ben slaappillen overhandigde aan Wendolyn.

'Nee,' zei ze. 'Ik moet erbij zijn. Ik moet het aangaan.'

Ben glimlachte bedroefd.

'Voor verdriet krijg je nog alle tijd,' zei hij.

Toen Eric de volgende dag in de lijkwagen arriveerde, werd hij in de voorkamer op een baar met een koelsysteem gelegd, het elektriciteitssnoer weggewerkt onder een kleedje. Daarna ging de uitvaartondernemer in de achterkamer zitten om over laatste wensen te praten. De schuifdeuren bleven open, dus Wendolyn kon het gesprek in de voorkamer horen terwijl ze op een stoel naast de kist van Eric zat. Zijn mooie grijze ogen waren gesloten, zijn handen lagen over elkaar op zijn buik. Wendolyn stak haar eigen hand uit en streelde zijn wang. Haar vingers schrokken toen ze niet in aanraking kwamen met de verwachte zachte warmte, maar met de kilheid van de dood.

Door de open schuifdeuren hoorde ze dat in de achterkamer de tekst op de rouwkaart werd besproken. *Mijn lieve man, onze lieve papa.* Moest Olga erop? Als ex? *De lieve vader van mijn kinderen?* Wendolyn hoorde dat Olga's naam niet op de kaart kwam.

Eric had altijd gezegd dat hij begraven wilde worden, en waar hij begraven werd sprak voor zich. Maar hoe zat het met de muziek, vroeg men zich in de achterkamer af. En wilde hij bloemen?

'Witte bloemen,' zei Wendolyn ineens hardop. Ze stond op en liep naar de schuifdeuren. 'Hij wilde witte bloemen. En "Ingemisco" van Verdi.' Hoe wist ze dat nog? In welk deel van haar brein had ze die informatie opgeslagen?

'In-wat?' vroeg Lisa onzeker.

171

'Zoek ik wel even op,' zei Jasper, 'In-ge-mis-co?' Hij boog zich over zijn laptop en na een paar seconden klonk er een tenor. Iedereen hield zijn mond. De uitvaartondernemer kuchte en raapte zijn papieren bijeen toen Lisa weer begon te huilen.

'Mooi wel,' zei ze.

Wendolyn liep terug de voorkamer in en ging weer op haar stoel naast de kist zitten. Er werd haar even later eten en drinken gebracht, maar eten deed ze nauwelijks en drinken alleen als er alcohol in zat. De kinderen kwamen af en toe zwijgend bij haar zitten, en 's avond laat zei Lisa zachtjes: 'Het is al half twaalf, Wendolyn. Wij vinden dat je moet gaan slapen...'

Omgekeerde wereld, dacht Wendolyn terwijl ze naar boven sjokte. Verkeerde wereld. Maar misschien was dit de gewone loop der dingen, dat op een dag de kinderen je vertelden dat je naar bed moest. Als je maar verdrietig genoeg was, als je maar oud en hulpbehoevend genoeg werd, dan zouden ze je op een dag hapjes voeren. Daar komt het locomotiefje... Tenminste, zo ging dat bij echte ouders. Ging het ook zo bij stiefouders? Misschien. Als je mazzel had.

Ze ging in het grote, lege bed liggen en voelde zich twintig jaar ouder dan die morgen, bang en alleen.

Wendolyn werd de volgende dag wakker van het luide gekras van een ekster op de begraafplaats. Ze keek naar het lege kussen naast zich en voelde zich opnieuw overweldigd. Toen wierp ze een blik op de wekker en deed er lang over om te bedenken of het ochtend of avond was. Het was tien uur. Ze hoorde mensen in huis: deuren gingen zachtjes open en zachtjes weer dicht, men sloop en fluisterde. Was dat om haar of om Eric? Lukraak trok ze schone kleren aan, liep de trap af en nam weer plaats op de stoel naast de kist. Keek naar Eric. Hij was niet veranderd. Lag daar maar op zijn nepsatijnen bedje in zijn houten kist.

De voordeurbel ging, en zou de hele dag blijven gaan. Oncoloog Farouk kwam langs, cardioloog Melissa en radioloog Kim. Wendolyn hoorde vrienden en vriendinnen van de kinderen, nam condoleances in ontvangst wanneer mensen in de voorkamer Eric een laatste groet brachten. Ze dronk een paar koppen koffie, in haar hoofd gedachteloze stilte. Het was alsof ze met open ogen sliep, en ze begon het geluid van de voordeurbel te haten, omdat die haar telkens wakker schudde en terugbracht naar een werkelijkheid waar ze niet wilde zijn.

Ze keek naar Eric, dacht aan de crematie van haar moeder en toen aan de nagelaten schriftjes. Maandenlang was ze ermee bezig geweest. Het bleek heel moeilijk om alle woorden te ontcijferen, en bovendien ging een recept voor nasi goreng naadloos over in aanwijzingen voor het kweken van pelargoniums, *sajor menir* in het zaaien van rucola en salvia. Af en toe liep Wendolyn helemaal vast en dan riep ze wanhopig: 'Wat stáát daar, mam?' En soms, heel soms, blies haar moeder haar zacht fluisterend een antwoord in: *Sambal goreng telor*. Alleen over de identiteit van de raadselachtige Paultje zweeg haar moeder; Wendolyn was alleen cryptische zinnetjes tegengekomen, tussen de ingrediënten van een gerecht of tips over grondbedekkers door, tussen uitgeknipte plaatjes van bloeiende planten die op de schriftblaadjes waren vastgeplakt met dunne reepjes cellotape. Het plakband was vergeeld en knisperde broos van ouderdom.

De zinnetjes over Paul stonden meestal letterlijk in de kantlijn, samen met verouderde telefoonnummers, onduidelijke adressen en een enkele doedel. Het was of het jongetje op onbewaakte momenten boven was komen drijven: tijdens het telefoneren of het plannen maken voor een tuin, of als haar moeder nadacht over een recept. Ergens in een hoekje van een bladzijde stond bijvoorbeeld: *Op het laatst at hij niets meer.*

Was 'hij' de mysterieuze Paul? En wat bedoelde haar moeder met 'op het laatst'? Was 'op het laatst' vlak voordat ze het kamp verlieten?

Het werd weer avond, en Jasper kwam binnen om een paar lampen aan te doen, Lisa om een grote, witte kaars te brengen en Daniëlle een kom soep. En toen was er ineens de stem van Heleen.

'Jasper belde me,' verklaarde ze, en ze omhelsde Wendolyn. Lieve, lieve Jasper. Lieve, lieve Heleen. Heleen stond even zwijgend naar Eric te kijken.

'Shit,' zei ze toen.

Wendolyn schraapte haar keel.

'Ik geloof dat er in de andere kamer wijn is. Ik kom zo,' loog ze.

Heleen knikte, kuste haar en verdween naar de achterkamer. Wendolyn ging naar boven en nam twee slaappillen van Ben.

De volgende dag verliep net als de vorige, en dat was goed. Zo moest het voortaan maar blijven: Wendolyn, Eric en de dood samen in de voorkamer, het leven in de achterkamer. Heleen had vriendinnen gebeld, die langskwamen, maar niet tot Wendolyn doordrongen. Klara arriveerde met een stoofpot in een römertopf.

'Morgen is de begrafenis,' zei Wendolyn tegen de vriendinnen, zodat ze het zelf misschien zou gaan geloven, en toen dacht ze weer aan haar moeder.

Ik gaf reuzeveel om Paultje! had er in een hoekje van een van de schriftpagina's gestaan, met een bloemetje erbij getekend. Maar elders vond Wendolyn: *'t Was een rotjong.* Ze was ervan geschrokken, was steeds nieuwsgieriger geworden en had zich tegelijkertijd steeds onmachtiger gevoeld. Er was immers niemand meer aan wie ze iets kon vragen? Het raadsel zou waarschijnlijk onopgelost blijven. Een heel verzwegen jongetje.

Ze belde nog met de zus van haar vader, de enige van 'de oudjes' die nog in leven was, maar die was van de andere kant van de familie en zei: 'Nee, over een Paul heb ik nooit iemand gehoord. Wel rare namen, daar in de familie van je moeder: Toet en Dé en Pop.' Zei de vrouw die zelf Deuke heette en een van haar dochters

Niesje had genoemd. De zus van Wendolyns vader was altijd in Friesland blijven wonen.

Op internet had Wendolyn toen naar boeken gezocht die over de Tweede Wereldoorlog in Indonesië gingen en over de jappenkampen: dikkere boeken dan die ze als kind stiekem had gelezen. Ze kocht ze en las ze met een vaag gevoel van schuld, want deze nieuwe interesse kwam natuurlijk veel te laat. Soms kwam ze in de verhalen woorden tegen die via haar ogen haar oren in kropen: *mandiën, gedèk* en *bersiap* – het waren woorden die ze haar moeder en oma had horen gebruiken. En intussen ging ze verder met de schriftjes: als de kinderen naar boven waren en Eric voor de televisie zat of de krant las, was zij in de voorkamer bezig met de priegelige lettertjes van haar moeder. Bladzijde na moeizame bladzijde.

Eric had haar een beetje bezorgd gadegeslagen.

'Het obsedeert je, hè?' had hij voorzichtig gezegd.

'Het fáscineert me,' zei ze. 'Dat zou jij toch ook hebben als je ineens over jouw familie...' Ze zag zijn gezicht zich sluiten, keek even naar hem en ging toen schouderophalend verder. Hij zijn problemen, zij de hare, dacht ze.

Dacht ze toen.

Olga kwam weer langs.

Ze liep de voorkamer in en stond met een ernstig gezicht naar Eric te kijken; ook haar hand raakte even Erics wang en ook haar hand trok zich snel weer terug.

'Koud, hè?' zei Wendolyn op de stoel naast de kist.

Olga keek op en knikte.

'Wat een verdriet voor je,' zei ze.

'Ja. Maar ook voor de kinderen. Die zijn nog veel te jong om hun vader te verliezen...'

'Ja, zo voelen ze dat echt, hè?' zei Olga. 'Dat heeft Eric knap gedaan.'

175

Wendolyn huiverde, alsof er iets kouds langs haar ruggengraat gleed.

'Ik vond het heel bijzonder, hoor,' zei Olga met gedempte stem, 'dat jullie ze in huis namen toen Jamie en ik het zo moeilijk hadden. En dat ze hier mochten blijven toen ons nieuwe huis –'

'Ach, dat was wel logisch, toch?' onderbrak Wendolyn. 'Eric was tenslotte hun vader.'

Olga keek Wendolyn onderzoekend aan.

'Jawel... Maar toch niet helemaal echt, natuurlijk.'

'Wat?' zei Wendolyn zachtjes en ze huiverde opnieuw.

Olga staarde naar haar, sloeg toen een hand voor haar mond en sperde haar ogen open.

'Hij heeft het je niet verteld...'

'Wat?' zei Wendolyn weer en ze hoorde iets kils in haar eigen stem. In een van de kamers boven klonk een hard gebonk, alsof er met een hamer op de vloer geslagen werd. Olga slikte zichtbaar en zei toen zachtjes: 'Dat Eric niet de vader was van Jasper, Lisa en Daniëlle? Niet de biologische vader?'

'Wát?' fluisterde Wendolyn voor de derde keer. Het bonken boven werd harder. Ze haalde diep adem. 'Weten de kinderen dat?'

'Nee,' zei Olga, nu met tranen in haar ogen. 'Nog niet. We wilden het hun binnenkort samen vertellen, nu Daniëlle oud genoeg is. Maar ik dacht echt dat hij het jou...'

Wendolyn stond op. Ze wilde hier niet zijn, niet ten overstaan van Olga het vernederende besef tot haar laten doordringen dat Eric haar niets had verteld, dat ze was bedrogen.

'Ik ga even boven kijken,' zei ze. Haar bewegingen waren hoekig. Bij de deur draaide ze zich nog even om en zag Olga naar haar kijken, naast de dode Eric. Toen liep ze naar de trap en kloste zwaar naar boven.

Ze vond Daniëlle in haar kamer op de grond, te midden van

176

beenscherven en botsplinters. Het meisje had een hamer in haar hand en sloeg met een verbeten gezicht een volgend schedeltje kapot. De gele tandjes van een knaagdier rolden over de grond.

'Daniëlle!'

Daniëlle keek op. Haar gezicht was wit, met rode vlekken op de jukbeenderen.

'Maar kind toch...'

De omvang en de implicaties van wat Olga had gezegd sijpelden langzaam bij Wendolyn binnen, alsof ze aan een infuus van vitriool lag. Voorzichtig nam ze de hamer van Daniëlle over en legde hem op de vloer. Ze ging op het bed zitten en trok het meisje naast zich.

'Je bent in de war...' begon ze.

Giftige druppel na giftige druppel.

Daniëlle begon te huilen en leunde tegen Wendolyn aan, net zoals toen ze nog klein was en Wendolyn haar voorlas over het rupsje en de mol. Ook nu voelde Wendolyn Daniëlles haar tegen haar wang kriebelen. Ze sloeg een arm om haar schouders en voelde dat ze een beetje te mager werd. Zo, met het snikkende kind in haar armen en starend naar de tekeningen aan de muur, voelde Wendolyn hoe ze langzaam van bitterheid vervuld raakte.

177

10

Toen de mannen van de uitvaartonderneming aankondigden dat ze de kist gingen sluiten, kwamen Jasper, Lisa en Daniëlle bij het hoofdeinde staan. Wendolyn stond er stijfjes naast. Hoewel het al vroeg in de middag was, was ze nog suf van de slaappillen, en dat was maar goed ook. Was ze helemaal helder geweest, dacht ze, dan was ze de dode Eric misschien krabbend te lijf gegaan, of had ze de hamer van Daniëlle mee naar beneden genomen... Waarom had hij niets gezegd? Waarom had ze van zijn ex moeten horen dat zijn kinderen zijn kinderen helemaal niet waren?

Terwijl Jasper, Lisa en Daniëlle gezamenlijk de schroeven van de kist aandraaiden, klonk achter de dichte schuifdeuren het zachte gemompel van de tientallen mensen die straks allemaal te voet achter de lijkwagen aan zouden gaan. Het was tenslotte maar tien minuten lopen.

Eenmaal in de grijze aula van de begraafplaats nam Wendolyn voorin plaats, met links van haar de kinderen, en Olga en Jamie daar weer naast. Ze keek over haar schouder naar de binnenkomst van de anderen en wenkte toen ze Heleen zag.

'Kom naast me zitten!' mimede ze. *Blijf bij me.* De enige stabiele relaties in haar leven waren immers die met haar vriendinnen.

Heleen nam rechts van Wendolyn plaats en pakte haar hand.

'IJskoud!' fluisterde ze geschrokken, en ze begon zacht te wrijven.

IJskoud, dacht Wendolyn.

Op de kist stond een foto van Eric die Jasper tijdens een vakantie had gemaakt: Eric lachte er zijn George Clooney-lachje op, zijn grijze ogen licht afstekend tegen zijn bruinverbrande huid, met alleen een witte zorgrimpel tussen zijn wenkbrauwen. Een mooie man. Ben liep naar de katheder naast de kist en begon te spreken – over Eric als vriend en als neuroloog... Wendolyn luisterde niet echt, maar keek naar Ben, haar nekspieren gespannen als vioolsnaren. Wist Ben het? Ze schrok op toen hij zich rechtstreeks tot haar richtte.

'Eric was heel gelukkig met jou, Wendolyn. Hij heeft me vaak verteld hoe blij hij met je was, met jou als vrouw, met jouw aanwezigheid in zijn leven, met de manier waarop je omging met Jasper, Lisa en Daniëlle.'

Ja, dacht Wendolyn bitter. Daarmee zal hij vast en zeker heel blij zijn geweest.

Ook de dappere Jasper sprak daarna een paar woorden.

'Papa was niet zo handig met computers en mobieltjes,' zei hij. Achter Wendolyn rimpelde zacht gelach door de aula: dat was meer mensen opgevallen. 'In het laatste sms'je dat hij me stuurde stond alleen maar: "WA"... Toen gaf hij het kennelijk op. Gelukkig heb je soms aan een half woord genoeg; ik wist wat papa bedoelde, ik wist dat hij wilde vragen waar ik was, wat ik deed, misschien hoe mijn laatste college was.' Weer zacht gelach. 'Of misschien wilde hij weten wanneer ik thuiskwam, want papa had ons het liefst allemaal thuis, veilig op de Parnassusweg. Lisa, Daniëlle en ik. En Wendolyn. De mensen die het belangrijkst voor hem waren, de mensen van wie hij hield.'

Jasper wendde zich naar de kist en de foto.

'Nu heb ik maar één vraag aan jou, papa: WA...?'

Toen brak zijn stem.

179

Wendolyn keek opzij en zag Lisa en Daniëlle, beiden met bleke gezichten en donkere kringen onder hun ogen. Toen keek ze weer naar Jasper, die terugliep naar zijn plaats, en ze dacht: en nu, uitgerekend nu, weet ik dat ik van ze hou.

In de grijze aula klonk een tenor. Verdi. Wendolyn luisterde naar de muziek, maar kon de tekst niet verstaan. Toen de aria was afgelopen, kwam iedereen overeind en liep de begraafplaatsbeheerder met een zwarte hoge hoed voor hen uit naar Erics laatste rustplaats. De kist werd gedragen door bevriende collega's van Eric, onder wie Ben.

Bij het open graf waar de kist in werd neergelaten stond Wendolyn een beetje te wankelen: men vindt slecht evenwicht op stijve benen. Gelukkig werd haar rechterarm stevig vastgehouden door Heleen en de linker door Jasper. Ze keek naar het zakken van de kist, naar de witte bloemen die erop lagen, en stelde zich de donkere aarde voor die er straks overheen geschept zou worden. Dan werd het graf een perkje, klaar voor beplanting. Maar zij zou geen plantjes planten. Geen dahlia, geen camelia, geen roos. Ze voelde zich zo verraden... Wat hadden Eric en zij gedeeld? Hun hele huwelijk was achteraf een farce.

Na de teraardebestelling werd er geborreld in het huis op de Parnassusweg. Er klonk getinkel van glazen, er gingen flessen rond en schalen vol bitterballen en minipizza's. Wendolyn wist bij god niet wie dat hoe en waar had geregeld. Men fluisterde nu niet meer. Er klonk soms zelfs een lach, en hier en daar riep iemand: 'Lang niet gezien!'

Wendolyn lachte niet. Haar gezichtsspieren waren strak en haar nek was stijf toen ze handen schudde, zoenen in ontvangst nam en welgemeende woorden van 'innige deelneming' aanhoorde. Wat Wendolyn wilde, was Olga spreken. De dufheid die de slaappillen hadden veroorzaakt was grotendeels weggetrokken en had plaatsgemaakt voor een kille klaarte, zoals van de lucht op een heldere winterdag, en uit die helderheid schoten vragen als giftige paddenstoelen omhoog. Toen ze dus tussen de bezoekers door zag dat Olga en Jamie aanstalten maakten om afscheid te nemen van de kinderen, liep ze zonder zich te verontschuldigen weg van de mensen die haar nog wilden condoleren, perste zich tussen de opeengepakte lijven door en pakte toen ze eindelijk bij haar in de buurt kwam Olga's arm vast – misschien iets steviger dan aardig was.

'Ik wil met je praten,' zei ze.

'Nu?' vroeg Olga, duidelijk ongelukkig bij het idee.

'Ja.'

In de keuken stond Klara glazen af te wassen, Farouk droogde ze en Ben ontkurkte nieuwe flessen wijn. Daarom liep Wendolyn door naar de keukendeur, opende die en stapte de tuin in. Olga volgde haar gedwee; ze merkte kennelijk dat het Wendolyn menens was. Ze droeg een donkergrijs mantelpakje, met eronder een lichtblauwe blouse.

Zodra de keukendeur dichtviel, stak Wendolyn een sigaret op uit het pakje dat in de zak van haar colbertje zat en zei zacht: 'Van wie zijn ze?'

Het was koud in de tuin. Het warme weer van de afgelopen dagen was abrupt omgeslagen in herfstige kilte.

'Van een donor,' zei Olga.

'"Een" donor?'

'Ja.'

'Eén donor?'

Olga knikte.

'Via Ben?'

'Nee. Een fertiliteitskliniek in België.'

Wendolyn nam een trek van haar sigaret en blies de rook afwachtend de donkere avond in.

'Ze kunnen via die kliniek achterhalen wie het was,' zei Olga. 'Als ze dat willen...'

In Wendolyns hoofd werden vragen geformuleerd alsof er een mechanisme in haar aan het werk was dat losstond van het deel in haar brein dat schreeuwde: 'Godverdomme! Waarom is mij niets gezegd!'

'Wanneer zouden jullie het de kinderen gaan vertellen?' vroeg ze.

'Dit jaar nog.'

Dit jaar nog... Had Eric het dit jaar dan ook aan Wendolyn willen vertellen?

Olga sloeg rillend haar armen om zich heen.

'Ik heb het koud, Wendolyn.'

Niet zo koud als ik, dacht Wendolyn.

'En ik?' zei ze. 'Waar sta ik in dit verhaal?'

Olga keek haar wanhopig aan.

'Ik dacht echt dat jij het allang wist, dat Eric het allang had verteld. Ik vond het al zo knap van je dat jij er kennelijk geen punt van maakte.'

Wendolyn dacht aan alle punten die ze voortdurend had gemaakt: de investering die ze had gedaan, de tijd die ze had ingeleverd, vroeger gesymboliseerd door de kruisen in haar agenda. Dat ze Eric almaar had moeten delen, bijna acht jaar lang. Sléchts acht jaar lang.

Olga legde haar hand op de klink van de keukendeur om naar binnen te gaan, maar Wendolyn pakte opnieuw haar arm vast. Ze had nog één belangrijke vraag.

'Waarom?'

Olga keek om, en nu zag Wendolyn iets nieuws in haar door bruine krullen omlijste gezicht: een soort hardheid.

'Dat heeft Eric natuurlijk ook niet verteld – dat hij geen kinderen kon krijgen.' Onuitgesproken klonk erachteraan: praatten jullie ooit weleens ergens over? Wat voor relatie hadden jullie eigenlijk?

Dat vroeg Wendolyn zich inmiddels ook af.

'Hij was onvruchtbaar,' zei Olga. 'Ik geloof dat hij daar zelf wel blij mee was, want hij wilde helemaal geen kinderen. Dat had met zijn vader te maken.' Ze zweeg even. 'Of heeft hij dat ook niet verteld?'

Jawel, dat wel. Over de foute keuze van zijn vader en zijn volgzame moeder. Over wat dat betekende voor hem als jongetje, na de oorlog. Over het stempelkussen, dat hij had bewaard als reminder, opdat hij zelf betere keuzes zou maken in zijn leven. Eric had ertegen opgezien om vader te worden. Hij had ooit tegen Wendolyn gezegd dat hij het zo'n verantwoordelijkheid vond. Wat ze zich echter niet had gerealiseerd, was dat die verantwoordelijkheid zich uitstrekte tot erfelijkheid, dat Eric bang was geweest om een soort fout genenpakket door te geven.

'En ik wilde dus wel kinderen,' ging Olga verder. 'Echt heel graag.'

Nu pas liet Wendolyn Olga's arm los. In de stilte die viel hoorden ze het gebabbel van de mensen binnen.

'Eric zei dat hij het makkelijker vond om kinderen te hebben van een ander,' hervatte Olga, en ze sloeg opnieuw haar armen om zich heen. 'Soms verdacht ik hem er zelfs van dat hij er zelf voor heeft gezorgd dat...'

'Dat wat?'

'Nou ja, er is altijd wel ergens een arts te vinden, zeker als je zelf dokter bent. En het zaakje is zo dichtgeknoopt. Toch?'

Nu was het Wendolyns beurt om te huiveren. Erics reactie toen op Vlieland, toen ze de pil was vergeten... Verraad op verraad op verraad.

Olga draaide zich om en ging naar binnen, de warmte van de keuken in. Wendolyn bleef buiten staan roken in de winterse tuin. De planten om haar heen zagen er koud en moe uit, ongeveer zoals Wendolyn zich voelde. Het seizoen liep op zijn eind. Ze plukte een dood takje uit de tijm, rook aan haar vingers en pas na tien minuten ging ze zelf ook weer naar binnen. Alleen Farouk was toen nog in de keuken.

'Wendolyn!' zei hij geschrokken toen hij haar zag. 'Je hebt koud!' Hij trok zijn colbertje uit en wikkelde Wendolyn erin. 'Je lippen zijn hele blauw,' zei hij hoofdschuddend, en hij wreef haar hardhandig over haar bovenarmen. Ze onderging het gelaten, en hoorde intussen dat het huis langzaam leegliep. Klara en Heleen bleven het langst – Heleen nog bezig glazen te verzamelen, Klara met stoffer en blik. Misschien was er aarde mee naar binnengelopen, dacht Wendolyn toen ze Klara bezig zag. Aarde van Erics graf. Dat graf dat wat haar betrof een hoopje zwarte grond bleef.

Alle drie de kinderen bleven op de Parnassusweg, en toen ook Klara en Heleen waren vertrokken, zaten ze dus met z'n vieren in de voorkamer, waar de eettafel was teruggezet en waar nog een beetje een vreemde geur hing. Lisa streek een lucifer af en stak de grote kaars weer aan.

'Dat ging goed, hè?' zei Jasper met een diepe zucht.

Wendolyn wilde knikken, maar riep geschrokken: 'Au!' Ze greep naar haar nek, waar een felle pijnscheut weinig goeds voorspelde.

'Wat is er?' vroegen de kinderen geschrokken. 'Wat heb je?'

'Mijn nek,' mompelde Wendolyn, nog steeds met een hand tegen haar nekspieren. Ze probeerde ze voorzichtig te bewegen, maar de zaak zat op slot: ze kon haar hoofd niet meer van links naar rechts draaien, kon niet meer knikken. Er was geen 'nee' meer en geen 'ja', er viel niets te ontkennen en niets te beamen, niets te verbieden en niets goed te keuren.

'Gaat het?'

'Kunnen we iets doen?'

'Nee, laat maar,' zei Wendolyn, en ze ontdekte dat je zelfs om uit een stoel op te staan een nek nodig hebt. 'Ik neem wel een paracetamolletje en een slaappil van Ben. Morgen gaat het vast beter.'

Ze moest door Jasper de trap op worden geholpen en boven hielp Lisa Wendolyn om haar kleren uit te trekken. Ze deden alle twee hun best om geen last te hebben van deze onbekende intimiteit. Toen Lisa weg was, spoelde Wendolyn twee paracetamol en drie pillen van Ben weg met een glas water.

Ze sliep, of lag in een soort coma door die grote hoeveelheid slaapmiddelen. In elk geval werd ze ergens uit wakker, maar zodra ze omhoogkwam van het matras werd duidelijk dat de nekpijn niet over was. De toch al zo onwerkelijke wereld waarin ze was ontwaakt, werd er nog onwerkelijker door: ze kon alleen maar naar iets kijken door haar hele bovenlichaam ernaartoe te draaien. Opzijkijken kon niet, omkijken evenmin.

Ze moest haar huisarts bellen, besefte ze.

'Heb je zelf een idee waar het vandaan komt?' vroeg de huisarts toen Wendolyn haar aan de telefoon kreeg.

'Ik heb gisteren in de kou gestaan,' zei Wendolyn. 'Toen Eric werd begraven.'

'Och!' riep de huisarts uit. 'Zal ik dan maar even langskomen?'

Nee, dat hoefde niet, als ze maar een receptje naar de apotheek stuurde, zodat Jasper of Lisa iets kon halen tegen de pijn. Liefst tegen alle pijn...

'Ik schrijf iets voor,' beloofde de huisarts.

Terwijl Jasper in Erics auto naar de apotheek reed, verdween Daniëlle met de stofzuiger naar boven om de resten op te ruimen van haar stukgeslagen skeletjes. De botsplinters hadden die morgen pijnlijk in haar blote voeten geprikt toen ze uit bed kwam. Intussen bekeek Lisa aan de kleine keukentafel de tientallen brieven die in de brievenbus waren gevallen en ze las ze Wendolyn voor – zelfs lezen zonder je nek te gebruiken bleek niet mee te vallen. In de meeste brieven kwamen de woorden 'gecondoleerd' voor, 'medeleven', 'sterkte' en 'in deze zware tijd'. Ook voor sterven bleken er veel synoniemen; sommige duidden op

185

een geloof in iets. Er werd gesproken over 'ontvallen' en 'heengaan', over 'inslapen' en 'verscheiden', over 'rust' en zelfs over 'overgaan'. Overgaan naar wat? Paultje was volgens haar moeder 'overgegaan'. In het zevende schriftje had Wendolyn daar een aantekening over gevonden, met erachter de krabbel: *beriberi?* Was dat een diagnose achteraf, van toen haar moeder al verpleegkundige was, of was beriberi in het kamp al bekend? Wendolyn was in elk geval geschrokken van die opmerkingen in de kantlijn: Paultje was gestorven. En letterlijk gemarginaliseerd.

'Als je nou alle zinnetjes over die Paul eens bij elkaar zet,' had Eric geopperd, 'dan kunnen we ze in een soort volgorde zetten en dan ontstaat er misschien vanzelf een verhaal.'

Wendolyn had hem aangekeken en van hem gehouden om dat 'we'.

Dat herinnerde ze zich nog.

Ze noemden het Word-documentje 'Wie Is Paul?', maar zo verhelderend als Eric hoopte was het niet geweest: het bleven losse zinnetjes, met als enig verband dat ze over Paultje gingen. Ze leerden er niet uit wie hij was, voornamelijk wat hij at. Het jongetje had altijd honger en kennelijk alles gegeten wat hij te pakken kreeg, tot de slakken aan toe die zich argeloos in het kamp waagden. Wendolyn herinnerde zich de stem van haar oma, haar moeders moeder: 'Honger maakt rauwe bonen zoet!' Kennelijk vielen slakken ook onder rauwe bonen.

Uit de losse opmerkingen in de schriftjes begrepen ze verder dat Paultje weleens stal. Altijd voedsel – het enige van werkelijke waarde in het kamp. Uit de boeken die Wendolyn inmiddels had gelezen, wist ze hoe hard en venijnig de strijd om eten in de jappenkampen was geweest, net zoals de strijd om een slaapplek en om privacy. Het stelen was Paul dus niet kwalijk te nemen; hij was tenslotte maar een hongerig jongetje. Een kind. Dat wist ze zeker: oudere jongetjes werden uit de vrouwenkampen weggehaald.

De dag na hun pogingen om er op deze manier achter te komen wie Paultje was, had Wendolyn aan het ontbijt naar Daniëlle gekeken. Het meisje strooide een dikke laag hagelslag op een dikke laag pindakaas op haar boterham. In hoeverre zou Daniëlle bereid zijn haar laatste voedsel te delen? En met wie? Met Lisa of Jasper? Met Eric? Met haar stiefmoeder?

Lisa maakte een stapeltje van de condoleancebrieven. Ze vond het mooi, zei ze: al die mensen die de moeite namen om iets op papier te zetten, een adres op een envelop te schrijven en er een postzegel op te plakken. Daniëlle constateerde: 'Het maakt eigenlijk niet uit wát mensen schrijven, hè? Het is dát ze schrijven.'

Wendolyn probeerde haar aan te kijken; ze wilde haar zien, wilde weten of ze Daniëlle nu anders zag. Was ze nog haar stiefdochter? Ongetwijfeld had Eric de kinderen erkend, dus juridisch gezien zou er vast niets veranderen, maar in werkelijkheid? Wat waren de kinderen nu nog van haar? Was er een term voor kinderen die nog verder waren dan stief? Pleeg? Pupil? Ze vroeg zich af hoe ze zouden reageren als Olga hun vertelde dat Eric niet hun vader was geweest. Wat zouden ze geschokt zijn! Er zouden tranen vloeien, misschien werd er geschreeuwd en gevloekt, want zoiets raakte aan de fundamenten van je bestaan. Letterlijk aan de wortels.

Pas na een uur kwam Jasper terug, met een grote papieren tas en een klein plastic zakje van de apotheek. Wendolyn peuterde meteen twee pillen uit de doordrukstrip, terwijl Jasper uit de grote tas de foto van Eric opdiepte die op de kist had gestaan. Hij had hem laten afdrukken in viervoud.

'Voor allemaal één,' zei hij, en hij haalde zijn neus op.

Wendolyn kon niet naar de foto kijken. Vanwege haar nek, zei ze.

'Leg hem maar ergens neer. Tot ik een lijstje kan kopen.'

Van prikkeldraad.

Na een kwartiertje voelde ze een nieuwe, welkome loomheid door haar hoofd en ledematen stromen.

'Wanneer ga je weer naar je kamer?' vroeg ze Jasper.

Niet zolang zij er zo moeilijk bij liep, verzekerde hij haar.

'Wij kunnen ook wel voor haar zorgen,' zeiden Lisa en Daniëlle gepikeerd.

Maar, dacht Wendolyn duf, deden ze dat ook nog als ze wisten wat zij nu wist? Als zij anders naar de kinderen keek, zouden de kinderen haar misschien ook anders gaan zien... Ze overwoog Heleen of Klara te bellen, maar dat ging niet zolang de kinderen als zorgzame voedsters om haar heen scharrelden. Even overwoog ze om naar de torenkamer te gaan, maar toen dacht ze aan de twee trappen daarnaartoe en gaf het idee bij voorbaat op. Ze bleef aan de keukentafel zitten, in het kloppend hart van het huis, en vroeg Jasper om haar laptop voor haar te halen. Daarna vroeg ze hem even in haar blikveld te gaan zitten.

Gehoorzaam liet Jasper zijn lange lijf op een keukenstoel tegenover haar zakken en keek haar vragend aan. Ze keek terug. Er waren nieuwe lijnen in zijn gezicht en hij had kringen onder zijn ogen. Mooie, grijze ogen, waarvan ze vroeger dacht dat hij ze van Eric had. Dat had ze ook weleens tegen Eric gezegd: hij heeft jouw ogen... Ze kon zich niet herinneren hoe hij had gereageerd.

'Hoe gaat het met je?' vroeg ze.

Jasper haalde zijn schouders op.

'Vreemd, weet je,' zei hij. 'Het is net of we iets achter de rug hebben, maar of het in het echt nu pas moet beginnen. Snap je?'

'Ja. Ik snap het.'

'Ik ben nu een halve wees,' zei hij, het woord proevend.

O, nee, dacht Wendolyn. Als het goed is loopt jouw vader nog ergens rond, als hij tenminste niet al jaren geleden onder een bus is gekomen, een dodelijk virus heeft opgelopen of, wie weet, in de verkeerde metro in Madrid zat, die waar die bommen waren ontploft. Honderden manieren om een vader kwijt te raken, waarvan een ondermijnende en ontwrichtende mededeling van een moeder er maar een was.

'Het is wel raar,' zei Jasper peinzend. 'We begonnen ooit met twee ouders: Eric en Olga, en toen waren het er drie: Eric, Olga en Jamie, en toen vier: Eric, Olga, Jamie en jij. En nu zijn het er weer drie...'

Verrast opkijken zat er niet in met die nek, maar voelde hij het echt zo? Dacht hij echt aan Wendolyn als een van zijn 'ouders'? Ze snoot haar neus.

11

Omdat het leven doorging en omdat alles zich leek te herpakken, omdat alle dagelijkse dingen bleven, en colleges ook, vertrok Jasper twee dagen later naar zijn kamer in Leiden, en gingen Lisa en Daniëlle gewoon weer naar school. Omdat ze deze keer vanuit school meteen naar Olga zouden gaan, naderde Wendolyns eerste nacht alleen. Haar nek was minder pijnlijk, dus ze drukte ieder van de kinderen op het hart dat ze het nu best redde en gaf ze alle drie een onhandige zoen. Toen de voordeur achter de laatste dichtviel, daalde de stilte van het grote huis aan de Parnassusweg echter als een natte wollen deken op haar neer. Ze zette koffie en hoorde daarna in de stilte van alles: buiten suisden er autobanden op nat asfalt, in de verte klonk een claxon, af en toe kletterde er een vlaag regendruppels tegen een raam, in de dakgoot kraste de ekster, en Wispel trippelde hoorbaar door de voorkamer op weg naar een warm kussen. In de keuken sloeg de boiler aan, een vloerplank kraakte, verwarmingsbuizen tikten: allemaal vertrouwde geluiden, geluiden die Wendolyn altijd had gehoord, of op z'n minst had kunnen horen als ze hier alleen was, als de kinderen naar school waren en Eric naar het ziekenhuis en zij in afwachting was van de eerste coachingcliënt van de dag. Of als het gezin op vakantie was, naar Club Med. Maar nooit, nooit was het zo stil als nu.

Zou ze hier blijven wonen, vroeg ze zich af. Kon ze hier blijven wonen? Wilde ze hier blijven wonen? Ze klapte de laptop open die nog op de keukentafel stond en zocht naar de tekst van 'Ingemisco'. In het Nederlands, liefst, of het Engels – in elk geval iets wat ze beter begreep dan Italiaans of Latijn. Ze las: *Guilty now I pour my moaning...* Guilty? Eric had zich schuldig gevoeld. Ze zocht naar een website waar een tenor het lied ten gehore bracht en las intussen mee: *With Thy favoured sheep o place me, Not among the goats abase me.* Even zag ze Eric voor zich tussen een kudde geiten, en toen begon ze te huilen, met lange uithalen en veel snot. Hij had zich schuldig gevoeld – en terecht! Maar waarom had hij niets gezegd? Waarom had hij haar alleen laten worstelen met het stiefouderschap, terwijl hij godverdomme zelf een soort stiefvader was geweest? En vooral: waarom was hij er nu niet? Waarom was hij weg? Voorgoed?

Ze belde Heleen maar die bracht net Wolf naar de crèche; ze belde Klara maar die stond voor de kassa bij de C1000; ze belde Ben maar die had zo poli. Voor iedereen ging het leven immers door? Ze beloofden allemaal terug te bellen, en daarna zat ze weer in de stilte van haar grote huis. Ze belde de notaris en haar accountant, hoorde hun condoleances aan en hoorde hen beloven dat ze in werking zouden zetten wat in werking gezet moest worden.

'Als ik maar snel overzicht krijg,' zei ze, 'van wat dit voor mijn financiële situatie betekent.'

'Geen zorgen,' zeiden de notaris en de accountant allebei. Er was een levensverzekering en testamentair was alles geregeld: Eric had haar goed verzorgd achtergelaten, en ongetwijfeld zou ze in het huis aan de Parnassusweg kunnen blijven wonen. Als ze dat wilde.

'Wát?' zei Heleen even later door de telefoon. 'Niet zíjn kinderen? Jezus! En dat heeft hij je nooit verteld?!'

191

'Nee. Ja.'

'Allemachtig... En hoe voel jij je daar nou onder?'

Tja. Verraden. Bedrogen. Belogen.

'Hier moet ik over nadenken,' zei Heleen. 'Ik bel je vanavond terug.'

'Wist jij het?' vroeg Wendolyn aan Ben, toen die haar na zijn middagpoli belde.

'Wist ik wat? Dat Eric een slecht hart had? Nee, dat...'

'Nee, dat Erics kinderen niet zijn kinderen waren.'

Ben zweeg en zei toen met verbijstering in zijn stem: 'Wat zeg je me nou?'

'Jasper, Lisa en Daniëlle zijn Erics kinderen niet. Ze zijn van een donor. Eric was onvruchtbaar.'

'Allemachtig... Nee, ik had geen idee.'

De telefoonverbinding ruiste vaag.

'Dat is niet via mij gebeurd,' zei Ben. 'Echt waar, Wendolyn, dat moet je van me aannemen. Ze hebben mij nooit geraadpleegd. Ik had geen idee.' De bevruchting van Olga moest elders hebben plaatsgevonden, niet in zijn ziekenhuis; dan was het hem ongetwijfeld een keer ter ore gekomen, want zo groot was hun ziekenhuis nou ook weer niet.

Een Belgische kliniek, dacht Wendolyn. Olga had het over een Belgische fertiliteitskliniek gehad.

'Hij moet veel van Olga hebben gehouden dat hij daarmee akkoord ging...' peinsde Ben hardop, en toen het tot hem doordrong wat hij zei, zei hij er haastig achteraan: 'Hij hield ook heel veel van jou.'

'Maar jij hebt Olga toch begeleid toen ze zwanger was?' zei Wendolyn. 'Jij hebt de kinderen toch gehaald?'

'Ja,' zei Ben. Maar nee, er was hem nooit iets... En aan een pasgeboren baby zie je niets, behalve als het kleurtje echt heel afwijkend is. En zelfs dan. Het is verbazingwekkend welke groot-

192

ouderlijke genen ineens naar boven kunnen komen in een baby. Ben had voorbeelden gezien die...

Wendolyn had even geen zin in een college genetica.

'Je merkte dus niets aan Eric in die tijd,' zei ze.

'Jezus, dat is al zo lang geleden... Nee, er moet me toen niets zijn opgevallen, anders had ik het vast wel onthouden.' En ach, die vaders... Er waren er die de pasgeborene liefdevol oppakten, maar er waren er ook die zichtbaar schrokken. Er waren er die lachten, er waren er die huilden, er waren er die flauwvielen en door de verpleging onder het kraambed vandaan gesleept moesten worden. Dat was onvoorspelbaar, zei Ben, en er zat zelden een vader bij wiens reactie hem nog verbaasde.

Toen ze het gesprek hadden beëindigd, staarde Wendolyn naar buiten, waar het alweer schemerig werd. Ze deed lampen aan, vulde een glas water en begon opnieuw te huilen. Zelfs toen alle lampen uitgingen, ook de straatlantaarns buiten, toen de koelkast ophield met zoemen en de cijfertjes van het ovenklokje doofden, bleef ze huilen. Pas toen Klara uit alle macht met haar vuisten op de voordeur bonsde omdat de elektrische deurbel het ook niet deed, en toen Wendolyn haar half hysterisch hoorde schreeuwen: 'WEN-DO-LYN!!!', toen pas stond ze op en deed open. Bijna tegelijkertijd ging overal het licht weer aan.

'Wauw,' zei Klara even later en ze zette haar vers gevulde römertopf in de oven. 'Dat is weer een heel nieuwe situatie.' Ze wilde verdergaan, maar werd onderbroken door de telefoon: Heleen, zo te horen een tikkeltje aangeschoten.

'Wendolyn, ik heb erover nagedacht, en volgens mij zit het zo: Eric ontmoette Olga en Olga wilde kinderen...'

Wendolyn zuchtte en zette Heleen op de speaker, zodat Klara kon meeluisteren.

'En omdat Eric haar die niet kon geven, heeft ze het anders gedaan, en hij vond dat goed, want hij was natuurlijk bang om haar kwijt te raken.'

'Ja...?' zei Wendolyn afwachtend.

'En toen werd ze verliefd op een ander en ging ze toch van hem scheiden, maar hij nam zijn verantwoordelijkheid en toen ontmoette hij jou en jij zei...?'

'Eh... Dat ik geen kinderen wilde?'

'Precies! Dus hij was gerustgesteld en hield zijn mond, want hij was bang om jou ook kwijt te raken, omdat jij misschien geen zin had om voor de kinderen van een ander te zorgen. Van een andere ander, dan.'

Wendolyn zag Klara knikken, terwijl ze voor hen beiden een glas wijn inschonk.

'Ik ben net zo goed als dr. Phil,' zei Heleen. 'Klopt het? Wás Eric bang dat je bij hem wegging?'

'Dokter wie?' vroeg Klara.

'We zullen het nooit weten, hè?' zei Wendolyn vlak. Ze had van Eric niet eens nagelaten schriftjes met hier en daar wat raadselachtige kanttekeningen. Ze had alleen zijn drie kinderen, een stapel *Journals of Neurology* en een stempelkussen van zijn vader. De reminder. Wendolyn had Klara noch Heleen ooit iets verteld over het NSB-verleden van Erics ouders; dat ging hun niets aan. Ze had dus ook niets verteld over het gepeste, buitengesloten, eenzame jongetje... Natuurlijk had Eric verlatingsangst gehad.

'Het zou best kunnen dat Eric bang was dat ik weg zou gaan, maar –'

'Dat bedoel ik!' zei Heleen triomfantelijk. 'In feite hield hij dus te véél van je!' Ze nam een hoorbare slok.

'Heleen,' zei Wendolyn, 'hij had me de keus moeten geven.'

Haar kinderwens had ze nooit tegenover Heleen uitgesproken. Ook niet tegenover Klara trouwens, althans niet rechtstreeks, maar ze zag dat die nu bedachtzaam naar haar keek.

'En dan,' ging Wendolyn bitter verder, 'blijk ik dus ook nog eens een psycholoog van niks, want ik heb nooit iets in de gaten

194

gehad. Dus nu heb ik niets meer. Geen man, geen stiefkinderen, geen zelfrespect. Nada. Niente.'

Klara reikte haar een vel keukenpapier aan.

'Weet je, Wendolyn,' zei ze. 'Ik zag jou en de kinderen met z'n vieren op die begrafenis, en volgens mij hebben jullie iets. En wat jullie hebben, dat draai je niet meer terug, ook niet nu je weet wat je weet.'

'Wat zegt Klara?' vroeg Heleen.

'Dat wij iets hebben, de kinderen en ik.'

'Natuurlijk hebben jullie dat. Je hebt ze toch mee opgevoed?'

'Jullie horen bij elkaar,' zei Klara. 'Hoe dan ook. Of je het nou wilt of niet.'

Toen later op de avond Klara was vertrokken, bleef Wendolyn even in die nieuwe zekerheid hangen als in een comfortabele leunstoel. 'Jullie horen bij elkaar...' Geen bloedband, wel een band. Samengebracht door het lot: niet ingewikkelder dan dat Wendolyn ooit op een feestje naast Eric was beland. Behalve als je het in een groter perspectief bekeek natuurlijk, en in ogenschouw nam dat het heel bijzonder was dat haar moeder ongeschonden uit het jappenkamp was gekomen, daarna in Nederland een man had ontmoet en dat Wendolyn daaruit geboren was; dat Wendolyn vele jaren later iemand tegenkwam die zijn geboortedorp was ontvlucht, geboren uit ouders die elkaar misschien ooit wel aardig hadden gevonden omdat ze dezelfde politieke sympathieën hadden. Goedbeschouwd is elk leven de resultante van een onvoorstelbare reeks toevalligheden.

Toen ze weer een slaappil had genomen, één dit keer, en in bed naar het plafond lag te staren tot hij zou gaan werken, gingen haar gedachten weer naar Eric. Onvruchtbaar... Was dat zomaar vanzelf geweest, iets wat hem overkwam en waarvoor hij dankbaar was? Had het lang geduurd voor Olga en hij erachter kwamen, terwijl ze op Jasper wachtten? Of had hij het allang ge-

195

weten en helemaal niet gewacht; had hij het lot allang een handje geholpen en was die steriliteit net zo zelfgekozen als bijvoorbeeld de dood van haar eigen moeder? Eric was al tweeënveertig toen Jasper werd geboren; hij had dus tijd genoeg gehad om iets medisch te ondernemen. Kleine ingreep. In dat geval had hij tegen Olga dus net zo hard gelogen als tegen haar... Ze merkte dat ze het ergens stiekem hoopte: dat zij niet de enige was die was belogen en bedrogen, en erin was getrapt.

Op wankele benen kwam ze haar bed uit en liep naar Erics kledingkast. Ze moest dat nog allemaal uitzoeken en opruimen: onderbroeken, sokken, zakdoeken en hemden, overhemden, pakken, truien en sweatshirts, vesten, stropdassen, schoenen en sjaals, en beneden de *Journals of Neurology* en... Ze vond het stempelkussen van Erics vader achter een stapeltje T-shirts. Even opende ze het bakelieten deksel in de vage hoop dat er misschien een briefje in zat, iets wat Erics leugens en vooral de reden van die leugens zou verklaren, maar ze vond alleen een verschrompeld, ingedroogd inktkussentje. Ze sloot het deksel weer. 'Het ging om mijn eigen keuzes,' zei Eric ooit. Was hij echt bang geweest dat een foute keuze in de oorlog genetisch bepaald was? Wat een onzin: juist in dat soort beslissingen was volgens haar opvoeding veel bepalender dan afkomst.

Ze strompelde voorzichtig de trap af, liep naar de keuken en wierp het stempelkussen in de vuilnisbak, tussen de afgekloven botjes van het dinertje met Klara. Toen ging ze weer naar boven.

Daniëlle kwam de volgende dag thuis. Ze droeg dit keer een groen-met-paarse jurk met kwastjes aan de mouwen: een van de gewaden die ze op de kop tikte in Indiase, Turkse en Marokkaanse winkeltjes. Al vanaf dat ze naar het vmbo ging, had ze dit soort kleren gedragen: volstrekt buiten de heersende kledingcode, alsof ze niets te maken had met actuele modetrends. Kleurige, lange, wijde jurkdingen van dik nepvelours of dun katoen, met zacht rinkelende kralen en belletjes. Wendolyn had er met verwondering en ook bewondering naar gekeken: het meisje leek zich met de keuze van haar kleding het mikpunt te maken van spot en pesterijen, maar droeg de kleren met zo'n hooghartige vanzelfsprekendheid dat niemand haar erom durfde uit te lachen of lastig te vallen. Daniëlle had niet besloten dat ze kunstenaar werd, ze had besloten dat ze kunstenaar wás – compleet met de attitude die erbij hoorde. Het ging haar verdomd goed af. Van wie had ze die houding? Van Olga? Van... haar vader?

'Hoe was het bij mama?' vroeg Wendolyn.

'Gewoon,' zei Daniëlle. 'Waar is Lisa?'

'Bij een vriendin.'

'O.'

In de römertopf van Klara had zoveel stoofpot gezeten dat er nog meer dan genoeg over was voor hen beiden. Omdat ze niet wisten of een römertopf in de magnetron mocht, kieperden ze hem leeg in een gewone schaal, schoven die in de magnetron en gingen daarna met z'n tweeën aan de keukentafel zitten.

'Weet je...' zei Daniëlle.

'Weet ik wat?'

En ineens begon de veertienjarige te huilen.

'Ik kan het maar niet uit mijn hoofd krijgen!' snotterde ze.

'Wat?' zei Wendolyn, en ze greep Daniëlles hand. Hij voelde klam. 'Dat papa dood is? Dat is toch logisch, dat je dat nog niet –'

'Nee! Hoe hij nu is!'

'Wat bedoel je?'

'Dat hij daar ligt. Dat hij vergaat.'

'Daniëlle, hou op.'

'Maar dat gaat niet uit mijn hoofd! Ik kan het niet helpen.'

Meisje van het binnenste buiten. Verzamelaarster van botten en beenderen.

'Misschien is het goed als je eens met iemand praat...' zei Wendolyn, die voorvoelde dat zij de beelden nu ook niet meer uit haar hoofd zou kunnen krijgen. Daniëlle veegde met een mouw van haar jurk het snot van haar neus.

'Ik praat nu toch met jou?'

'Ik bedoel iemand die je professioneel begeleiding kan geven.'

Daniëlle lachte door haar tranen heen.

'Jij bent toch professioneel?'

'Maar ik ben betrokken. Is er op school niet iemand?' Wendolyn stond op, zette de rol keukenpapier op tafel en schepte twee borden vol.

'Ja,' zei Daniëlle. Er was vandaag een lerares die met haar had willen praten, die van Engels. 'Maar dat is zo'n sufkut...'

Ze snoot haar neus in een vel keukenpapier en begon daarna een botje af te kluiven.

'Lekker!'

Wendolyn keek met gemengde gevoelens toe hoe Daniëlle het gerecht van Klara met smaak opat. Haar eigen kookkunsten staken nog steeds schril af bij die van Klara – bij die van de meeste mensen eigenlijk. Ze had de kinderen nooit iets buitengewoon smaakvols kunnen voorzetten, zelfs niet met de oogst uit eigen tuin. Had ze wel genoeg haar best gedaan? Had ze überhaupt genoeg gedaan voor haar stiefkinderen? Haar nepstiefkinderen. Haar would-be-nepstiefkinderen. Should-be-namaak-nepstiefkinderen.

Met nog dikke ogen van de slaap en van het huilen, zei Daniëlle de volgende ochtend vlak voordat ze naar school ging: 'O ja. Mama wil dat we vrijdag bij haar komen – ik en Jasper en Lisa.'

Wendolyn schrok.

'Oké...' zei ze.

'Ze zegt dat ze ergens met ons over moet praten,' vervolgde Daniëlle, terwijl ze haar tas vastbond op de bagagedrager van haar fiets.

'Oké,' zei Wendolyn.

198

'Weet jij waarover dat is?' vroeg Daniëlle, waardoor Wendolyn door de afwezige Olga en de dode Eric werd gedwongen om te liegen.

'Geen idee,' zei ze, en ze deed iets wat ze nooit eerder op gewone, doordeweekse dagen deed: ze gaf Daniëlle een kus. Het meisje leek een beetje verbaasd.

Wendolyn keek haar na toen ze wegfietste: niet anders dan ze haar kende, niet vreemder, niet verder weg, vandaag gehuld in iets oranje-met-blauws. Ze ging naar binnen en ijsbeerde rond in de achterkamer. Vrijdag was over twee dagen. Vrijdag was helemaal geen gelukkige timing. Je gaat ze hard treffen, Olga, terwijl ze diep in de rouw zijn. Je zult hen hevig kwetsen, juist nu ze op hun kwetsbaarst zijn. Kun je het niet nog even voor je houden, trut, dat geheim dat je nu al bijna twintig jaar voor je houdt? Waarom nu, waarom nu al, waarom nu pas?

Ze belde Olga op.

'Het is nooit een gelukkig moment,' zei Olga toen ze Wendolyn had aangehoord. Haar stem had weer die harde klank. Kwam die voort uit verdriet? Wanhoop?

'Olga, als psycholoog zou ik...'

'Het is mijn keuze,' zei Olga. 'Het zijn mijn kinderen.'

Het ging Wendolyn niet aan. Zonder nog iets te zeggen hingen ze op.

De stem van degene die een uur later belde, herkende Wendolyn niet.

'Jamie,' zei de stem. 'De partner van Olga?'

'O, Jamie,' zei Wendolyn verbaasd.

'Vrijdag...' zei hij.

'Ik vind het veel te snel,' zei Wendolyn meteen.

'Olga is heel zeker van haar zaak.'

'Kun jij niet met haar praten? Zeggen dat het echt een heel ongelukkig moment is?'

'Ik heb met haar gepraat, maar ik geloof niet dat het heeft geholpen. Misschien hoort het bij háár rouwproces,' zei Jamie aarzelend.

Wendolyn voelde woede opborrelen. Ólga's rouwproces? En dat van de kinderen dan? Olga was de grootste egoïst die ze ooit was tegengekomen, besloot ze. Olga's leven stond alleen maar in het teken van Olga: Olga wilde kinderen, dus die kwamen er – hoe dan ook. Olga wilde scheiden, dus ze scheidde – hoe dan ook. Olga wilde ineens van haar kinderen af, dus ze dumpte ze. Olga was beter af geweest met een furby! Maar Olga wilde kennelijk opnieuw een kind, dus...

'Hoe is het met Annabel?' vroeg ze, om te voorkomen dat ze allerlei akelige dingen tegen Jamie zou gaan zeggen.

'Fantastisch,' zei hij spinnend. 'Mijn dochter is het mooiste wat me is overkomen.'

Er viel een stilte.

'Maar je belde omdat...?' vroeg Wendolyn.

'O ja. Vrijdag. Ik dacht misschien dat wij dus dan samen ergens konden gaan eten?'

Zij uit eten met de partner van de ex van haar dode man? De vriend van de moeder van haar stiefkinderen, die in werkelijkheid niet haar stiefkinderen waren?

'Het moet voor jou ook raar zijn,' zei Jamie. 'Dat is het zelfs voor mij. Ik weet het ook pas net, weet je. Ik dacht ook gewoon dat ik stiefvader was van de kinderen van Olga en Eric.'

Hij had makkelijk praten, dacht Wendolyn. Ze waren in elk geval van Olga; ze waren in elk geval kinderen van zijn partner. En hij had lang zoveel tijd niet aan hen besteed als Wendolyn.

Ze spraken af in een pannenkoekenrestaurant, want Annabel ging ook mee.

'Dan zijn ze even met z'n vieren,' zei Jamie. 'Dat lijkt me beter.'

Twee dagen later zei Wendolyn peinzend: 'Ik denk... dat jij gaat voor de pannenkoek met spruitjes en lever.'

Over het tafeltje met het rood-wit geblokte papieren tafelkleedje heen keek Annabel haar met een ontstelde uitdrukking op haar gezicht aan. Het was een mooi meisje; ze had grote, groene ogen en de rode krullen van haar vader.

'Nee? O, dan wordt het vast die met bloedworst en spinazie.'

Nu wendde Annabel haar ogen wanhopig naar haar vader.

'O jee, ik zie het al...' zei Wendolyn toen. 'Jij bent typisch zo'n prinsesje voor wie de kok die heel speciale pannenkoeken moet maken. Die met appel en stroop...'

Annabel begon opgelucht te lachen, pakte giechelend het potje met kleurpotloden en viel op de kleurplaat aan die op haar placemat stond.

'Je bent leuk met kinderen,' zei Jamie. 'Dat heeft vast geholpen toen Jasper, Lisa en Daan in je leven kwamen.'

'Andersom,' zei ze. 'Jasper, Lisa en Daniëlle hebben mij geholpen.'

'Zal ik die van jou ook doen?' vroeg Annabel.

'Graag,' zei Wendolyn. 'Ik kan het zelf niet zo goed.' Ze trok haar placemat onder haar wijnglas vandaan en overhandigde hem aan Annabel.

'Waarom heb je zelf geen kinderen?' vroeg Jamie. 'Of moet ik dat niet vragen?' Hij bloosde een beetje.

Wendolyn dacht even na en zei toen: 'Weet je wat raar is? Dat mensen wel altijd vragen waarom iemand geen kinderen heeft, maar nooit waarom iemand ze wél heeft.'

Jamie lachte ongemakkelijk.

'Ja, nou je het zegt,' zei hij.

'Wat voor kleur vind jij dat dit moet?' vroeg Annabel aan Wendolyn.

'Rood. Ik weet heel zeker dat dat rood moet.' Annabel kraste ijverig verder.

201

'Ik ben nooit een moedertype geweest,' zei Wendolyn toen. 'Ik vond mijn werk belangrijker. In elk geval leuker.'

'Maar toen werd je toch moeder,' zei Jamie.

'Stiefmoeder.'

'Is er verschil?'

'Ja, natuurlijk.' Ze voelde de bekende leegheid in haar buik en nam gauw een slok wijn.

Tijdens het eten bleek Jamie alles te willen weten over arbeids- en organisatiepsychologie. Hij overwoog om alsnog een opleiding in die richting te gaan doen, als late instromer. Door de hersentumor en de hele nasleep, en door het feit dat hij vader was geworden, was hij anders naar het leven gaan kijken.

'Je wilt niet weten wat een flierefluiter ik was,' zei hij grinnikend. 'Ik nam nooit iets serieus, stelde mezelf nooit doelen... Maar dat is nu dus veranderd.'

'Soms valt er van alles op z'n plek als je leven op zijn grondvesten staat te schudden,' zei Wendolyn.

Jamie knikte.

'En dit, Wennelien?' vroeg Annabel.

'Blauw,' zei Wendolyn.

'Maar die is op. Ik heb alleen nog bruin.'

Er viel niets te kiezen...

Om negen uur kreeg Wendolyn een onrustig gevoel. Stel je voor dat de drie kinderen, of één van de drie kinderen, op de Parnassusweg arriveerde – verward, boos, verdrietig en vol vragen? Stel je voor dat ze dan een leeg, donker huis vonden, zonder schouder om op uit te huilen, zonder een kopje warme thee?

'Ik moet gaan,' zei ze tegen Jamie en ze stond op.

'Wij gaan ook,' zei Jamie. 'Deze dame hier is al een uur over haar bedtijd.'

Ze gaven elkaar een hand.

'Wat zijn wij nu eigenlijk van elkaar?' vroeg hij. 'Zijn wij ook nog iets?'

202

'Twee vreemde eenden in de bijt,' zei Wendolyn. Dat gaf ook een band. Ze keek Jamie even na toen hij met zijn dochter naar zijn auto liep. Hij sleepte licht met zijn linkerbeen en waggelde daardoor een beetje als een eend.

Even later zette Wendolyn haar fiets in de voortuin van het huis aan de Parnassusweg, naast haar auto en die van Eric. De auto van Eric moest verkocht worden, dacht ze. Of misschien dat Jasper hem wilde hebben. Ze deed haar fiets op slot en zag dat er in huis nergens licht brandde: de kinderen waren er niet. Ze was niet nodig. Nog niet nodig? Of nooit meer nodig?

Ze ging naar binnen, knipte de lamp in de gang aan, liep naar de keuken en schrok zich wezenloos toen ze een donkere gestalte aan de tafel ontwaarde. Ze drukte op het lichtknopje en Lisa knipperde tegen de brandende lamp alsof ze in slaap was geweest, of diep in gedachten. Haar ogen waren roodomrand, haar wangen zaten vol mascaravegen en het eerste wat ze zei was: 'Wist jij het?'

Haar stem was schor, alsof ze had geschreeuwd.

'Nee,' zei Wendolyn. 'Niet tot vorige week.'

Lisa keek haar doordringend aan, alsof ze de waarheid van die woorden van Wendolyns gezicht zou kunnen aflezen.

'Echt niet?'

'Echt niet.'

'Dus jij bent ook bedrogen,' zei Lisa verwonderd.

Nogal ja.

Wendolyn opende de koelkast en pakte de fles witte wijn die in de deur stond.

'Jij iets?' vroeg ze.

'Water,' zei Lisa, en ze stond zelf op om een glas te vullen.

'Hoe was het?' vroeg Wendolyn.

'Ik voel me alsof ik ben verkracht,' zei Lisa.

Wendolyn keek geschrokken naar haar stiefdochter bij het aanrecht.

'Nou ja,' zei Lisa, en ze ging weer zitten. 'Ik ben nooit verkracht, dus ik weet gelukkig niet hoe dat is, maar ik kreeg een heel vies gevoel. Dat er dus een man in mijn leven was die mijn vader helemaal niet was. En dat mijn echte vader ergens een kwakkie zaad heeft gedeponeerd en... Gatverdamme!'

'Eric heeft natuurlijk van het begin af aan voor jullie gezorgd,' zei Wendolyn. 'Hij was feitelijk gewoon jullie vader.' Verbaasd hoorde ze zichzelf Eric verdedigen, maar het was natuurlijk wel zo: Eric was al die jaren een vader voor de kinderen geweest. Het bleef alleen de vraag waarom hij nooit iets had verteld, nooit iets tegen Wendolyn had gezegd, nooit iets had gedeeld. Misschien was hij inderdaad bang, zoals Heleen had gesuggereerd, dat Wendolyn niet een deel van haar leven zou opgeven, niet zou doen wat ze had gedaan als ze had geweten dat het was voor de kinderen van een ander. Was dat zo? Hoe kon je dat achteraf weten?

'Ik ben zo bang dat als we naar onze biologische vader gaan zoeken, dat het dan tegenvalt,' zei Lisa. 'Dat het een of andere bal is. Of iemand met een enorme bierbuik en wratten in zijn gezicht.'

'Misschien is het wel een topvoetballer,' zei Wendolyn. 'Of een filmster, of een beroemde wetenschapper.'

Lisa keek haar aan en trok haar neus op.

'Denk het niet,' zei ze. 'Die maken toch op de gewone manier kinderen? Die hoeven toch niet... Waarom wordt iemand eigenlijk zaaddonor?'

'Geen idee,' antwoordde Wendolyn, die het echt niet wist. 'Om mensen te helpen?'

'Of omdat ze zichzelf zo geweldig vinden dat ze denken dat ze de plicht hebben om zich voort te planten. Misschien is het wel een enge neonazi die zijn arische genen wilde doorgeven.'

Ze namen tegelijk een slok – Wendolyn van haar wijn, Lisa van haar water. Ooit, een keer, zou Wendolyn haar stiefkinderen vertellen over hun foute opa. Maar niet nu, zeker niet nu.

'Waar zijn Jasper en Daniëlle?' vroeg Wendolyn. 'En waarom ben jij hier?'

'Jasper is boos weggelopen. Ik weet niet waarnaartoe. Misschien is hij naar zijn kamer. Daniëlle heeft zich opgesloten in de logeerkamer van mama.'

Och, jee.

Lisa keek Wendolyn aan, haar gezicht ineens vol twijfel.

'Je vindt het toch niet erg dat ik hier ben?'

'Natuurlijk niet.'

'Maar ik ben niks meer van je.'

En dat was dus niet waar, dacht Wendolyn. Lisa was een deel van haar leven, net als Jasper en Daniëlle dat waren. Onlosmakelijk. Ze had hen mee opgevoed, ze woonden in hetzelfde huis, ze gaf ze eten en drinken. Ze hoorden bij haar. Ongeveer zoals Paultje bij haar moeder en haar oma had gehoord...

Toen Wendolyn aan het negende en laatste schriftje van haar moeder was begonnen, had ze zich er al bij neergelegd dat ze nooit zou weten wie of wat Paultje was, nooit zou weten waarom hij in het jappenkamp kennelijk in de buurt was geweest van haar moeder en oma. Ze was er inmiddels eindelijk iets handiger in geworden om haar moeders kriebelhandschrift te ontcijferen, en ze ploeterde zich door de laatste recepten, plantschema's en adressen van kwekerijen en heemtuinen heen totdat ze een van de allerlaatste bladzijden van het schrift omsloeg, er een oud plakbandje losliet en er een papiertje tussen de schriftblaadjes uitgleed. Het dwarrelde zachtjes naar de vloer, als een stervende vlinder.

Wendolyn raapte het op. Het was dun en vervilt van ouderdom. Op de voorkant stond een lang en ingewikkeld recept voor *spekkuk*: misschien had haar moeder geen zin gehad om dat helemaal over te schrijven en had ze het daarom uitgeknipt en opgeplakt. Toen Wendolyn het velletje omdraaide, ontwaarde ze daar ook zinnetjes, geschreven in potlood, dus nog moeilijker leesbaar dan de andere teksten. De woorden waren half uitgeveegd en door de tijd weggepoetst; alleen de datum halverwege het tekstje was duidelijk leesbaar: 3-8-44. Het was een stukje van het oorspronkelijke dagboek van haar moeder.

Wendolyn had een beetje gehuild toen ze met het dunne vodje in haar hand zat, als het ware even in direct contact met een vervlogen en verzwegen verleden, even in direct contact met haar moeder. Ze herinnerde zich dat Eric naast haar was komen zitten en haar had geholpen: hij had een extra bureaulamp aangedragen en een leesbril op het puntje van zijn neus gezet. Het had haar ontroerd: haar man die zich over haar moeder boog.

Na een uur samen puzzelen stond de volgende tekst op Wendolyns pc: *xxx niet zo was. Zwerfkat 3-8-44 Moes zegt xxxxxx van ons eten, dat toch al weinig xxxxxx Zielig xxxxx zijn moexxx is dooxxxxx xxxxx xxxxxxxxxx xxxxx xxxxxx xxxxxxxxxx. Waarom moeten wij nou voor hem zorxxxx???? xxxxxxxxxxx xxxx xxxxxxxxxx niet een van 'ons', maar moes zegt xxxxx xxxxxxxxx dus nu een stiefbroertje xxxxxxxx Van ons eten!*

Met een diepe zucht had Eric gezegd: 'Die Paul was geen familie. Ik denk dat hij geen familie had daar in het kamp. Ik denk dat hij een weesje was.'
Wendolyn knikte sprakeloos.

'Zwerfkat, niet een van ons, stiefbroer – kennelijk heeft je oma zich over hem ontfermd.' Hij keek naar haar. 'Dat is iets om trots op te zijn.'

Hij zette zijn leesbril af en kuste haar, maar Wendolyn dacht aan haar moeder, over wie ze dus in feite las dat die moeite had gehad om eten te delen met een hongerig kind. Een vreemd kind. Niet een van ons. Wat als het haar moeders echte broertje was geweest? Zou dat iets hebben uitgemaakt?

206

Lisa dronk haar waterglas leeg en zette het met een klap op tafel. Wendolyn schrok op uit haar gepeins over haar moeder en haar moeders dagboek. Ze keek naar Lisa. Haar laatste woorden – *Maar ik ben niks meer van je* – hingen nog bijna tastbaar tussen hen in. Ze haalde diep adem.

'Ik geef om jullie,' zei ze, want 'Ik hou van jullie' klonk te groot, te dramatisch – alsof ze meespeelden in een soap. En dat gevoel had ze de laatste dagen toch al.

'Daniëlle denkt dat ze hier nu niet meer mag wonen. Daarom is ze er niet. Ze zegt dat Jasper tenminste nog zijn kamer in Leiden heeft, maar dat wij nu alleen maar een logeerbed hebben, bij mama.'

'O, wat een onzin! Natuurlijk wonen jullie hier. In feite is dit huis trouwens van jullie.'

Lisa haalde haar mobieltje uit haar broekzak en schoof het over het tafelblad naar Wendolyn.

'Bel haar dan maar,' zei ze, en ze keek Wendolyn smekend aan. 'Ze zegt trouwens dat ze voortaan Daan heet.'

Dat klonk als iemand met een identiteitscrisis... Wendolyn pakte de telefoon.

12

Ze kwamen dus gewoon weer 'thuis', naar de Parnassusweg: Lisa en Daan dagelijks, Jasper de meeste weekends. Naar Olga gingen ze niet meer zo vaak. De relatie tussen Olga en haar kinderen was er niet op vooruitgegaan sinds het gedoe over het verzwegen donorvaderschap. De eerste weken waren de kinderen zelfs zo boos dat ze Olga helemaal niet meer wilden zien, en Wendolyn – ja, uitgerekend Wendolyn – bemiddelde.

'Ik denk dat Olga jullie echt heel graag wilde,' zei ze. 'Koste wat het kost. En voor haar was het vast ook moeilijk.'

'Had die trut het niet op een ander moment kunnen vertellen?'

'Ja, een week na de begrafenis komt ze met zoiets!'

'Een donor! Wat moeten we daar nou mee?'

'Ik wil dit niet. Ik wil dat Eric onze vader was...'

Het feit dat Eric al die jaren had gezwegen over hun werkelijke afkomst leken de kinderen hem niet eens kwalijk te nemen. Integendeel, ze waren Eric dankbaar, want hij was toch maar mooi een papa voor hen geweest – een echte papa die hun billen en snotneuzen had afgeveegd, die hen had getroost als ze zich een buil vielen en die patat had gebakken...

Tegen de tijd dat de kinderen weer met hun moeder wilden praten, kwamen ook de vragen. Moesten ze hem gaan zoeken, de donor? Wilden ze weten wie hij was? Maakte het wat uit?

Ze overlegden in de keuken, waar Wendolyn glazen volschonk en een zak chips op de tafel legde. Met het gesprek bemoeide ze zich niet, nam ze zich voor; dat moesten de kinderen echt helemaal zelf we–

'Wat vind jij, Wendolyn?'

O, jee.

'Ja, wat zou jij doen?'

Ze wist het echt niet, eerlijk niet. Misschien was het in verband met een eventuele aanleg voor erfelijke ziektes wel handig als je wist wie je echte vader was, maar hoe het emotioneel zat... Ze keek naar de kinderen – al bijna geen kinderen meer maar jongvolwassenen, al bleef je ze als opvoeder kennelijk 'de kinderen' noemen.

'Als ik naar jou en je studie kijk, Jasper,' zei ze aarzelend, 'en naar jouw schoolresultaten, Lisa...' Jasper en Lisa keken op. Lisa was net vol vertrouwen aan haar eindexamenjaar begonnen. 'Of naar jouw talent, Daan.'

'Dan wil je weten waar dat vandaan komt?' vroegen ze.

'Nee, dan denk ik dat het bijna niet mogelijk is dat jullie biologische vader erg tegenvalt.'

Een tijdje was alleen het gekraak te horen van de chipszak en van chips die werden vermalen. Toen begon Lisa te lachen.

'Zo had ik het nog niet bekeken,' zei ze.

Er werden mailtjes geschreven naar de Belgische fertiliteitskliniek die Olga had genoemd. Er kwamen mailtjes terug, met de mededeling dat een dergelijk verzoek op papier gedaan moest worden, met kopieën van paspoorten en handtekeningen. Dus er werden brieven geschreven en er kwamen brieven terug, die haastig werden opengeritst, en uiteindelijk zei Lisa: 'Nou. Nu weten we dat hij een meter negentig is, blank met blauwe ogen en lichtbruin haar en van "academisch niveau".'

'Daar!' zei Daan. In de opengeslagen krant die op de keuken- tafel lag, wees ze een foto aan van de eerste de beste politicus. 'Dat is hem!'

De foto stond op dezelfde pagina als een lang artikel over de moord op Van Gogh.

De volgende stap was dat de kinderen een brief konden schrij- ven, die via via bij de zaaddonor terecht zou komen. Het was aan hem om daar al dan niet iets mee te doen.

Het duurde maanden en Wendolyn miste het moment dat de envelop in de bus werd gestopt, omdat ze in de tuin bezig was. Het was inmiddels winter en nauwelijks licht, maar omdat het nog niet had gevroren, dacht ze dat dit een goed moment was om paaltjes te slaan voor de groentebedden van volgend jaar. Voor je het wist werd het alweer voorjaar en kon ze veldsla zaaien, spina- zie en radijsjes... De arbeid bezorgde haar pijn in haar rug en bla- ren op haar handen, maar leidde af van de kwellende pijn in haar hart: de pijn van rouw en onbeantwoorde vragen.

Toen ze de envelop vond, legde ze hem op de keukentafel en zo- dra Lisa en Daan uit school kwamen, bekeken ze hem van alle kan- ten, roken er zelfs aan, en besloten toen dat ze zouden wachten met het openen van de brief tot het weekend was en Jasper thuis zou zijn. Het verbaasde Wendolyn. Dit was toch de generatie van alles en van alles nu? De meiden wisten het echter zeker en de en- velop bleef ongeopend op de keukentafel liggen. Hij werd echter gretig en nieuwsgierig opengescheurd zodra Jasper thuis was.

De brief bleek handgeschreven en begon met: *To mis lieve, un- known kids...* Omdat ze hem niet alle drie tegelijk konden lezen, werd besloten dat Lisa hem zou voorlezen.

De biologische vader, die Michiel heette maar zich nu Miguel noemde, bleek niet in Nederland of België te wonen; hij verbleef sinds jaren in een soort hippiecommune op een van de Canari- sche eilanden. In een merkwaardige mengeling van Nederlands,

Engels en Spaans schreef hij dat hij op La Gomera de *peace* had gevonden die hij zocht.

Daar moesten Jasper, Lisa en Daan een beetje om giechelen.

'Geitenwollensokken,' zei Jasper.

'Sandalen,' zei Lisa.

'Geitenwollensokken ín sandalen,' zei Daan, en ze schoten alle drie in de lach.

De donorvader schreef verder dat hij in zijn levensonderhoud voorzag door de schelpen en zeesterren te verkopen die de zee hem schonk, die hij beschilderde en verkocht aan toeristenwinkeltjes op alle Canarische eilanden.

'O!' riepen Daan en Wendolyn tegelijkertijd.

Miguel sloot de brief af met: '*Dear* kinderen, met het doneren van mijn zaad wilde ik vreugde schenken.' Was dat niet *what life was all about*? Hij had zichzelf nooit gezien als een aanwezige vader, maar de gedachte dat iemand gelukkig was geworden van zijn donatie, *made him feel very feliz*.

'Wat is *feliz*?' vroeg Daniëlle.

'Gelukkig, geloof ik,' zei Wendolyn.

Miguel bleek wel een beetje verbaasd dat er drie kinderen waren voortgekomen uit maar één donatie, maar dat was kennelijk karma. In een postscriptum zei hij ten slotte dat 'zijn' kinderen natuurlijk altijd welkom waren op La Gomera.

Daan keek geïnteresseerd, de anderen vooral onzeker.

'Nou,' zei Lisa, en ze keek hulpzoekend naar Wendolyn.

'Tja,' zei Jasper. Hij zakte op zijn keukenstoel onderuit en vroeg: 'Wat eten we, Wendolyn?'

Die nacht lag Wendolyn weer wakker. Een slaappil had ze niet genomen. Ze merkte dat ze daar ook overdag duf van werd en ze had besloten dat het tijd werd om haar werk weer op te pakken. Weg met de vermoeide, oude vrouw. Het had lang genoeg geduurd. Ze zou weer als vanouds cliënten ontvangen en goede, helpende gesprekken voeren. Ze zou weer voorzitterschappen gaan doen, en grote klussen. Ze zou naar een goede kapper gaan, weer een mantelpakje dragen en pumps. De economie was sinds die geknapte internetbubbel allang weer gaan groeien en zou dat vast en zeker blijven doen, en haar leeftijd kon je ook uitleggen als verworven levenservaring. Dat was ook wat waard. Toch?

Ze zag de gezichten van haar cliënten voor zich. Eenzame gezichten. Bezorgde gezichten. Opgeluchte gezichten, als ze haar werk goed deed... Ze luisterde naar het tikken van de wekker en dacht toen aan Miguel, de donorvader. Ze was benieuwd of de kinderen nog eens contact met hem zouden opnemen; voorlopig leken ze niet overmatig enthousiast. Een hippievader...

Miguel was niet voor een carrière gegaan, maar voor love en peace. Hij had zijn genen doorgegeven in de volle overtuiging dat hij daar iets goeds mee deed. Geen twijfel over genetische onvolkomenheden. Geen last van foute vaders, zoals Eric... Niet van suïcidale moeders.

Geschrokken ging ze overeind zitten. Nietes, dacht ze. Zo was het niet. Ik vond mijn loopbaan belangrijker. Ik wilde geen kinderen en toen ik er wel een wilde, was ik te laat. Dat heeft alles met de biologische klok te maken, niets met mijn moeder!

'Het moet niet makkelijk zijn geweest voor je moeder,' had Eric gezegd toen ze de tekst op het dunne stukje papier min of meer ontcijferd hadden. 'Alles delen, terwijl er toch al zo weinig was.'

'Daar had ze dus kennelijk moeite mee,' zei Wendolyn. 'Delen met een kind dat niet eens familie was...'

'Maakt dat verschil?'

Ze had lang gekeken naar de man van wie ze toen nog dacht dat hij de vader van haar stiefkinderen was. Ze had aan Klara gedacht. 'Het eigene, hè?' had die gezegd. Maar wat als Jasper honger had en er geen eten zou zijn geweest, als Daniëlle of Lisa dorst kregen en er geen water was?

'Ik weet het niet,' zei ze.

Eric keek haar aan.

'Je moeder was zelf nog maar een kind,' zei hij.

'In 1944 was ze veertien...'

Wendolyn streek met haar vingertoppen over de vervaagde tekst. Haar oma had kennelijk een verloren schaap onder haar hoede genomen. Haar moeder was misschien hebberig en jaloers geweest, als een gewone puber in ongewone, angstige en hongerige omstandigheden. Had haar moeder later last gehad van haar gedrag als puber? Waren er daarom na al die jaren op onbewaakte momenten kleine kreetjes opgeweld, die in de kantlijn terecht waren gekomen, terwijl ze op andere momenten over Paul had gezwegen? Had haar moeder daarom...?

Ze ging weer achteroverliggen in haar grote, lege bed, het bed waarin ze had gevreeën met de man die nu dood was. Fijn, maar vruchteloos gevreeën. Ze vroeg zich af hoe opgelucht Eric was geweest toen hij steriel bleek, of zich steriel had laten maken. Hoe opgelucht hij was geweest dat hij 'alleen maar' de kinderen van een ander hoefde op te voeden, dat zijn bijdrage zich beperkte tot *nurture*, zonder *nature*.

Ze had er met hem over willen praten.

Een combinatie van verdriet en een opvlieger gaf een verstikkend resultaat; het zweet brak haar uit en ze gooide het dekbed van zich af. Het was niet genoeg, dus ze kwam uit bed, liep zacht de trap af om de kinderen niet te wekken en ging de keuken binnen. De necoro van Daan lag weer op tafel, met de stekker in zijn buik. Wendolyn staarde even naar het levenloze ding en bedacht dat er op haar lijstje voordelen van tamagotchi, furby, paro of necoro (niet eten, drinken, poepen, plassen, verharen of braken), nooit had gestaan dat ze zich ook niet ongepland en ongebreideld voortplanten. Er werd geen DNA doorgegeven. Zelfs geen chips; geen goede chips en ook geen foute, zoals die de furby van

213

Daniëlle lieten zeggen: '*I not like you*'.

Ze had het nog steeds warm, wendde zich van de necoro af en liep in haar pyjama door de keukendeur de tuin in. Daar knielde ze neer en liet zich vooroverzakken, tot haar gezicht tegen de koude grond lag, alsof ze in de richting van Mekka bad. Ze drukte haar neus in de zwarte aarde, rook vocht en schimmel en misschien een spoortje van Eric: hij lag maar een paar honderd meter verderop te vergaan.

Toen de opvlieger eindelijk wegtrok, kreeg ze het koud. Ik bevries, dacht ze. Als ik zo blijf liggen ga ik dood. Zou dat erg zijn? Zou iemand haar missen? Haar vriendinnen misschien.

Ze zag voor zich hoe morgenochtend Lisa en Daan naar beneden kwamen, hun ogen nog dik van de slaap, hun haar in de war, in de verwachting dat er warme thee zou zijn - niet een bevroren lijk in de tuin. Dat kon ze hun niet aandoen. Ze kon de kinderen sowieso nog niet aandoen dat ook zijzelf nu ineens zou wegvallen; ze hadden haar nog even nodig. In elk geval voorlopig. In elk geval een beetje. Voor de warme thee.

Wendolyn kwam overeind, ging naar binnen en naar bed.

Dank aan Tanja Hendriks, Jet Hopster en Marleen Pelle voor hun waardevolle commentaar. Dank ook aan Pepijn Reeser, Tom Kamlag en mijn man, Frank Candel, die kritisch meelazen, en aan alle medewerkers van de uitgeverij die mij en het boek hebben geholpen.